GRAMMAR
SUPPLEMENT TO ACCOMPANY

MOSAICOS

Castells ◊ Guzmán ◊ Lapuerta ◊ García

Taken from:

Mosaicos: Spanish as a World Language, Third Edition
by Matilde Olivella de Castells
Elizabeth Guzmán
Paloma Lapuerta
Carmen García

Pearson
Custom
Publishing

Prentice
Hall

Taken from:

Mosaicos: Spanish as a World Language, Third Edition
by Matilde Olivella de Castells, Elizabeth Guzmán, Paloma
Lapuerta, and Carmen García
Copyright © 2002, 1998, 1994 by Pearson Education, Inc.
Published by Prentice-Hall, Inc.
Upper Saddle River, New Jersey 07458

This special edition published in cooperation with Pearson
Custom Publishing.

Printed in the United States of America

10 9 8 7 6 5 4 3 2 1

Please visit our web site at www.pearsoncustom.com

ISBN 0–536–70036–2

BA 995754

PEARSON CUSTOM PUBLISHING
75 Arlington Street, Suite 300, Boston, MA 02116
A Pearson Education Company

Contents

Lección 1

Los estudiantes y la universidad

1. Subject pronouns

SINGULAR		PLURAL	
yo	*I*	nosotros, nosotras	*we*
tú	*you*	vosotros, vosotras	*you* (familiar)
usted	*you* (formal)	ustedes	*you* (formal/familiar)
él	*he*	ellos	*they* (masculine)
ella	*she*	ellas	*they* (feminine)

- In Spain, the plural of **tú** is **vosotros** or **vosotras**. In other Spanish-speaking countries, the plural of both **tú** and **usted** is **ustedes**.

- Except for **ustedes**, the plural pronouns have masculine and feminine endings. Use **-as** for a group composed only of females; use **-os** for a mixed group or one composed only of males.

- Because the endings of Spanish verbs indicate the subject (the doer of the action), subject pronouns are generally used only for emphasis, clarification, or contrast.

2. Present tense of regular *-ar* verbs

HABLAR			
yo	hablo	nosotros/as	hablamos
tú	hablas	vosotros/as	habláis
Ud., él, ella	habla	Uds., ellos, ellas	hablan

- Use the present tense to express what you and others generally or habitually do or do not do. You may also use the present tense to express an ongoing action. Context will tell you which meaning is intended.

Ana trabaja en la oficina.
Ana works in the office.
Ana is working in the office.

- Here are some expressions you may find useful when talking about what you and others habitually do or do not do.

siempre	*always*	muchas veces	*often*
todos los días/meses	*every day/month*	a veces	*sometimes*
todas las semanas	*every week*	nunca	*never*

3. Articles and nouns: gender and number

Nouns are words that name a person, place, or thing. In English all nouns use the same definite article, *the*, and the indefinite articles *a* and *an*. In Spanish, however, masculine nouns use **el** or **un** and feminine nouns use **la** or **una**. The terms masculine and feminine are used in a grammatical sense and have nothing to do with biological gender.

Gender

	MASCULINE	FEMININE	
SINGULAR DEFINITE ARTICLES	el	la	*the*
SINGULAR INDEFINITE ARTICLES	un	una	*a/an*

- Generally, nouns that end in **-o** are masculine and require **el** or **un**, and those that end in **-a** are feminine and require **la** or **una**.

el/un libro	**el/un** cuaderno	**el/un** diccionario
la/una mesa	**la/una** silla	**la/una** ventana

- Nouns that end in **-d, -ción, -sión** are feminine and require **la** or **una**.

la/una universidad	**la/una** lección	**la/una** televisión

- Some nouns that end in **-a** and **-ma** are masculine.

el/un día	**el/un** mapa
el/un programa	**el/un** problema

- In general, nouns that refer to males are masculine and require **el/un** while nouns that refer to females are feminine and require **la/una**. Masculine nouns ending in **-o** change the **-o** to **-a** for the feminine; those ending in a consonant add **-a** for the feminine.

el/un amigo	**la/una** amiga
el/un profesor	**la/una** profesora

- Nouns ending in **-e** normally share the same form (**el/la estudiante**), but sometimes they have a feminine form ending in **-a** (**el dependiente, la dependienta**).

- Use definite articles with titles (except **don** and **doña**) when you are talking about someone. Do not use definite articles when addressing someone directly.

La señorita Andrade trabaja en el Departamento de Lenguas Extranjeras.	*Miss Andrade works in the Department of Foreign Languages.*
Cuando **el** profesor Jones llega por la mañana, ella dice: "Buenos días, profesor Jones", y él contesta: "Buenos días, señorita Andrade".	*When Professor Jones arrives in the morning, she says, "Good morning, Professor Jones," and he answers, "Good morning, Miss Andrade."*

Number

	MASCULINE	FEMININE	
PLURAL DEFINITE ARTICLES	los	las	*the*
PLURAL INDEFINITE ARTICLES	unos	unas	*some*

- Add -s to form the plural of nouns that end in a vowel. Add -es to nouns ending in a consonant.

la silla	las sillas	el cuaderno	los cuadernos
la actividad	las actividades	el señor	los señores

- Nouns that end in -z change the z to c before -es.

    el lápiz   los lápices

- To refer to a mixed group, use masculine plural forms.

    los chicos   *the boys and girls*

4. Present tense of the verb *estar*

ESTAR			
yo	estoy	*I*	*am*
tú	estás	*you*	*are*
Ud., él, ella	está	*you are, he/she*	*is*
nosotros/as	estamos	*we*	*are*
vosotros/as	estáis	*you*	*are*
Uds., ellos, ellas	están	*you are, they*	*are*

- Use **estar** to express the location of persons or objects.

¿Dónde **está** el gimnasio?	*Where is the gym?*
Está al lado de la cafetería.	*It is next to the cafeteria.*

- Use **estar** to talk about states of health.

¿Cómo **está** el señor Mora?	*How is Mr. Mora?*
Está muy bien.	*He is very well.*

5. Question words

cómo	*how/what*	cuál(es)	*which*
dónde	*where*	quién(es)	*who*
qué	*what*	cuánto/a	*how much*
cuándo	*when*	cuántos/as	*how many*

- If a subject is used in a question, it normally follows the verb.

  ¿Dónde trabaja Elsa?   *Where does Elsa work?*

- Use **por qué** to ask *why*. The equivalent of *because* is **porque**.

  ¿Por qué está Pepe en la biblioteca? *Why is Pepe at the library?*
  Porque necesita estudiar.   *Because he needs to study.*

- Use **qué + ser** when you want to ask for a definition or an explanation.

  ¿Qué es la sardana?   *What is the sardana?*
  Es un baile típico de Cataluña.   *It's a typical dance of Catalonia.*

- Use **cuál(es) + ser** when you want to ask which one(s).

  ¿Cuál es tu mochila?   *Which (one) is your backpack?*
  ¿Cuáles son tus papeles?   *Which (ones) are your papers?*

- Questions that may be answered with **sí** or **no** do not use a question word.

  ¿Trabajan ustedes los sábados?   *Do you work on Saturdays?*
  No, no trabajamos.   *No, we don't.*

- Another way to ask a question is to place an interrogative tag after a declarative statement.

  Tú hablas inglés, **¿verdad?**   *You speak English, don't you?*
  David es norteamericano, **¿no?** *David is an American, isn't he?*

Some regular *-er* and *-ir* verbs

The verb form found in dictionaries and in most vocabulary lists is the infinitive: **hablar, estudiar**, etc. Its equivalent in English is the verb preceded by *to: to speak, to study*. In Spanish, most infinitives end in **-ar**; other infinitives end in **-er** and **-ir**.

So far you have practiced the present tense of regular **-ar** verbs. Now you will practice the **yo, tú,** and **usted/él/ella** forms of some **-er** and **-ir** verbs: **leer**–*to read*, **comer**–*to eat*, **aprender**–*to learn*, **escribir**–*to write*, **vivir**–*to live*.

- As you did with **-ar** verbs, use the ending **-o** when talking about your daily activities.

     Leo y **escribo** en la clase todos los   *I read and I write in class*
          días.   *everyday.*

- For the **tú** form, use the ending **-es**.

     ¿**Comes** en la cafetería o en tu casa?   *Do you eat in the cafeteria or*
                                                                         at home?

- For the **usted/él/ella** form, delete the final **-s** of the **tú** form.

     Ella **vive** en la calle Salud.   *She lives on Salud Street.*

Lección 2

Los amigos hispanos

1. Adjectives

- Adjectives are words that describe people, places, and things. Like articles (**el, la, un, una**) and nouns (**chico, chica**), they generally have more than one form. In Spanish an adjective must agree in gender (masculine or feminine) and number (singular or plural) with the noun or pronoun it describes. Adjectives that describe characteristics of a noun usually follow the noun.

- Many adjectives end in -o when used with masculine words and in -a when used with feminine words. To form the plural these adjectives add -s.

	MASCULINE	FEMININE
SINGULAR	chico alto	chica alta
PLURAL	chicos altos	chicas altas

- Adjectives that end in -e and some adjectives that end in a consonant have only two forms, singular and plural. To form the plural, adjectives that end in -e add -s; adjectives that end in a consonant add **-es**.

	MASCULINE	FEMININE
SINGULAR	amigo interesante	amiga interesante
	chico popular	chica popular
PLURAL	amigos interesantes	amigas interesantes
	chicos populares	chicas populares

- Other adjectives that end in a consonant have four forms. This group includes some adjectives of nationality.

	MASCULINE	FEMININE
SINGULAR	alumno español	alumna española
	alumno trabajador	alumna trabajadora
PLURAL	alumnos españoles	alumnas españolas
	alumnos trabajadores	alumnas trabajadoras

- Adjectives that end in -ista have only two forms, singular and plural.

Pedro es muy optim**ista**, pero Alicia es pesim**ista**.	*Pedro is very optimistic, but Alicia is pessimistic.*
Ellos no son material**ista**s.	*They are not materialistic.*

2. Present tense and some uses of the verb *ser*

SER (*to be*)			
yo	soy	nosotros/as	somos
tú	eres	vosotros/as	sois
Ud., él, ella	es	Uds., ellos/as	son

You have practiced some forms of the verb **ser** and have used them for identification (**Ese señor es el dependiente**) and to tell time (**Son las cuatro**). Below you will learn other uses of the verb **ser.**

■ **Ser** is used with adjectives to describe what a person, a place, or a thing is like.

¿Cómo es ella?	*What is she like?*
Es inteligente y simpática.	*She's intelligent and nice.*
¿Cómo es la casa?	*What is the house like?*
La casa es grande y muy bonita.	*The house is big and very beautiful.*

■ **Ser** is used to express the nationality of a person; **ser + de** is used to express the origin of a person.

NATIONALITY

Luis es chileno.	*Luis is Chilean.*
Rosa es argentina.	*Ana is Argentinean.*

ORIGIN

Luis es de Chile.	*Luis is from Chile.*
Ana es de Argentina.	*Ana is from Argentina.*

■ **Ser + de** is also used to express possession. The equivalent of the English word *whose* is **¿de quién?**

¿De quién es la casa?	*Whose house is it?*
La casa es de Marta.	*The house is Marta's.*

■ **De + el** contracts to **del. De + la(s)** or **los** does not contract.

El diccionario es del profesor, no es de la estudiante.	*The dictionary is the professor's, not the student's.*

■ **Ser** is used to express the location or time of an event.

El baile es en la universidad.	*The dance is (takes place) at the university.*
El examen es a las tres.	*The test is (takes place) at three.*

3. *Ser* and *estar* with adjectives

■ **Ser** and **estar** are often used with the same adjectives. However, the choice of verb determines the meaning of the sentence.

■ As you already know, **ser** + *adjective* states the norm, what someone or something is like.

Manolo **es** delgado.	*Manolo is thin. (He is a thin boy.)*
Sara **es** muy nerviosa.	*Sara is very nervous. (She is a nervous person.)*
El libro **es** nuevo.	*The book is new. (It's a new book.)*

■ **Estar** + *adjective* comments on something. It expresses a change from the norm, a condition, and/or how one feels about the person or object being discussed.

Manolo **está** delgado.	*Manolo is thin. (He lost weight recently.)*
Sara **está** muy nerviosa.	*Sara is very nervous. (She has been nervous lately.)*
El libro **está** nuevo.	*The book is new. (It seems like a brand new book.)*

■ The adjectives **contento/a, cansado/a, enojado/a** are always used with **estar**.

Ella **está contenta** ahora.	*She is happy now.*
El niño **está cansado**.	*The boy is tired.*
Carlos **está enojado**.	*Carlos is angry.*

■ Some adjectives have one meaning with **ser** and another with **estar**.

Ese señor **es** malo.	*That man is bad/evil.*
Ese señor **está** malo.	*That man is ill.*
El chico **es** listo.	*The boy is clever.*
El chico **está** listo.	*The boy is ready.*
La manzana **es** verde.	*The apple is green.*
La manzana **está** verde.	*The apple is not ripe.*
Ella **es** aburrida.	*She is boring.*
Ella **está** aburrida.	*She is bored.*

4. Possessive adjectives

mi(s)	*my*
tu(s)	*your* (familiar)
su(s)	*your* (formal), *his, her, its, their*
nuestro(s), **nuestra**(s)	*our*
vuestro(s), **vuestra**(s)	*your* (familiar plural)

- These possessive adjectives always precede the noun they modify.

    mi casa   **tu** bicicleta

- Possessive adjectives change number (and gender for **nosotros** and **vosotros**) to agree with the thing possessed, not with the possessor.

    mi casa, **mis** casas
    nuestro profesor, **nuestros** amigos; **nuestra** profesora, **nuestras** amigas

- **Su** and **sus** have multiple meanings. To ensure clarity, you may use **de** + the name of the possessor or the appropriate pronoun.

    su compañera = la compañera **de usted**
    - **de ella** (la compañera de Elena)
    - **de él** (la compañera de Jorge)
    - **de ustedes**
    - **de ellos** (la compañera de Elena y Jorge)
    - **de ellas** (la compañera de Elena y Olga)

Expressions with *gustar*

- To express what you like to do, use **me gusta** + *infinitive*. To express what you don't like to do, say **No me gusta** + *infinitive*.

Me gusta bailar.	*I like to dance.*
No me gusta mirar la televisión.	*I don't like to watch television.*

- To express that you like something, use **me gusta** + *singular noun* or **me gustan** + *plural noun*.

Me gusta la música clásica.	*I like classical music.*
Me gustan las fiestas.	*I like parties.*

- To ask a classmate what he/she likes, use **¿Te gusta/n...?** To ask your instructor, use **¿Le gusta/n...?**

¿Te gusta/Le gusta tomar mate?	*Do you like to drink mate?*
¿Te gustan/Le gustan los chocolates?	*Do you like chocolates?*

Lección 3

Las actividades y los planes

1. Present tense of regular *-er* and *-ir* verbs

COMER *(to eat)*			
yo	como	nosotros/as	comemos
tú	comes	vosotros/as	coméis
Ud., él, ella	come	Uds., ellos/as	comen

VIVIR *(to live)*			
yo	vivo	nosotros/as	vivimos
tú	vives	vosotros/as	vivís
Ud., él, ella	vive	Uds., ellos/as	viven

- The endings for **-er** and **-ir** verbs are the same, except for the **nosotros** and **vosotros** forms.

- The verb **ver** has an irregular **yo** form.

    ver: veo, ves, ve, vemos, veis, ven

- Use **deber** + *infinitive* to express what you *should* or *ought* to do.

    Debes beber mucha agua.   *You should (must) drink lots of water.*

2. Present tense of *ir*

IR *(to go)*			
yo	**voy**	nosotros/as	**vamos**
tú	**vas**	vosotros/as	**vais**
Ud., él, ella	**va**	Uds., ellos/as	**van**

■ Use **a** to introduce a noun after the verb **ir**. When **a** is followed by the article **el**, they contract to form **al**.

Voy **a la** fiesta de María.	*I'm going to María's party.*
Vamos **al** gimnasio.	*We're going to the gymnasium.*

■ Use **adónde** when asking *where to* with the verb **ir**.

¿**Adónde** vas ahora?	*Where are you going now?*

3. *Ir + a +* infinitive to express future action

■ To express future action, use the present tense of **ir + a +** the *infinitive* form of the verb.

Ellos **van a nadar** después.	*They're going to swim later.*
¿**Vas a ir** a la fiesta?	*Are you going to go to the party?*

4. The present tense to express future action

■ You may also express future action with the present tense of the verb. The context shows whether you are referring to the present or the future.

Ellos **nadan** después.	*They'll swim later.*
¿**Vas** a la fiesta esta noche?	*Are you going to the party tonight?*

■ The following expressions denote future time:

después	*afterwards, later*
más tarde	*later*
esta noche	*tonight*
mañana	*tomorrow*
pasado mañana	*the day after tomorrow*
la próxima semana	*next week*
el próximo mes/año	*next month/year*

5. Numbers 100 to 2.000.000

100	cien/ciento	1.000	mil
200	doscientos/as	1.100	mil cien
300	trescientos/as	2.000	dos mil
400	cuatrocientos/as	10.000	diez mil
500	quinientos/as	100.000	cien mil
600	seiscientos/as	150.000	ciento cincuenta mil
700	setecientos/as	500.000	quinientos mil
800	ochocientos/as	1.000.000	un millón (de)
900	novecientos/as	2.000.000	dos millones (de)

- Use **cien** to say 100 used alone or followed by a noun, and **ciento** for numbers from 101 to 199.

100	cien
100 chicos	cien chicos
120 profesoras	ciento veinte profesoras

- Multiples of 100 agree in gender with the noun they modify.

200 periódicos	**doscientos** periódicos
1.400 revistas	**mil cuatrocientas** revistas

- Use **mil** for *one thousand*.

1.000	**mil alumnos, mil alumnas**

- Use **un millón** to say *one million*. Use **un millón de** when a noun follows.

1.000.000	**un millón, un millón de personas**

- Spanish normally uses a period to separate thousands, and a comma to separate decimals.

$1.000	$19,50

Some uses of *por* and *para*

In previous activities, you used **para** as an equivalent of *for*, with the meaning *intended* or *to be used for*: **Necesito un diccionario para la clase.** *I need a dictionary for the class.* You used **por** in expressions such as **por favor, por teléfono,** and **por la mañana/tarde/noche.** Other fixed expressions with **por** that you will find useful when communicating in Spanish follow:

por ejemplo	*for example*	**por lo menos**	*at least*
por eso	*that's why*	**por supuesto**	*of course*
por fin	*finally, at last*	**por ciento**	*per cent*

Por and **para** can also be used to express movement in space and time.

- Use **para** to indicate movement toward a destination.

Caminan **para** la playa.	*They walk toward the beach.*
Vamos **para** el túnel.	*We are going toward the tunnel.*

- Use **por** to indicate movement through or by a place.

Caminan **por** la playa.	*They walk along the beach.*
Vamos **por** el túnel.	*We are going through the tunnel.*

- You may also use **por** to indicate length of time or duration of an action/ event. Many Spanish speakers omit **por** in this case, or use **durante.**

Necesito el auto (**por**) tres días.	*I need the car for three days.*

Lección

4

La familia

1. Present tense of stem-changing verbs (e → ie, o → ue, e → i)

PENSAR (E → IE) (*to think*)			
yo	pienso	nosotros/as	pensamos
tú	piensas	vosotros/as	pensáis
Ud., él, ella	piensa	Uds., ellos/as	piensan

VOLVER (O → UE) (*to return*)			
yo	vuelvo	nosotros/as	volvemos
tú	vuelves	vosotros/as	volvéis
Ud., él, ella	vuelve	Uds., ellos/as	vuelven

PEDIR (E → I) (*to ask for, to order*)			
yo	pido	nosotros/as	pedimos
tú	pides	vosotros/as	pedís
Ud., él, ella	pide	Uds., ellos/as	piden

- These verbs change the stem vowel **e** to **ie**, **o** to **ue**, and **e** to **i** except in the **nosotros** and **vosotros** forms.[1]

- Other common verbs and their vowel changes are:

e → ie	o → ue	e → i
cerrar (*to close*)	almorzar (*to have lunch*)	servir (*to serve*)
empezar (*to begin*)	costar (*to cost*)	repetir (*to repeat*)
entender (*to understand*)	dormir (*to sleep*)	
pensar (*to think*)	poder (*to be able to, can*)	
preferir (*to prefer*)		
querer (*to want, to love*)		

- Use **pensar** + *infinitive* to express what you or someone else is planning to do.

Pienso estudiar esta noche.	*I plan to study tonight.*
Pensamos comer a las ocho.	*We're planning to eat at 8:00.*

[1]Stem-changing verbs are identified in vocabulary lists as follows: **pensar (ie); volver (ue); pedir (i).**

- Note the irregular **yo** form in the following **e → ie** and **e → i** stem-changing verbs.

tener (*to have*)	**tengo**, tienes, tiene, tenemos, tenéis, tienen
venir (*to come*)	**vengo**, vienes, viene, venimos, venís, vienen
decir (*to say, tell*)	**digo**, dices, dice, decimos, decís, dicen
seguir (*to follow*)	**sigo**, sigues, sigue, seguimos, seguís, siguen

- The verb **jugar** (*to play* a game or a sport) changes **u** to **ue**.

  Mario **juega** muy bien, pero nosotros **jugamos** regular.

2. Adverbs

- Adverbs are used to describe when, where or how an action/event is done/takes place. You have used Spanish adverbs when expressing time (**mañana, siempre, después**) and place (**detrás, debajo**). You have also used adverbs when expressing how you feel (**bien, muy mal, regular**). These same adverbs can be used when expressing how things are done.

> Rafael nada **muy bien**.   *Rafael swims very well.*

- Spanish also uses adverbs ending in **-mente**, which corresponds to the English *-ly*, to qualify how things are done. To form these adverbs, add **-mente** to the feminine form of the adjective. With adjectives that do not have a special feminine form, simply add **-mente**.

> Cantan **alegremente**.   *They sing happily.*
> María lee **lentamente**.   *María reads slowly.*

- Some commonly used adverbs ending in **-mente** are:

generalmente	normalmente	frecuentemente
realmente	básicamente	simplemente
tranquilamente	regularmente	perfectamente
relativamente	tradicionalmente	lógicamente

3. Present tense of *hacer, poner, salir, traer,* and *oír*

El padre pone la mesa.

La madre oye música y las noticias.

La hija trae las tostadas a la mesa.

El hijo hace la cama.

El abuelo pone la televisión.

La familia desayuna y sale.

21

HACER (*to make, to do*)			
yo	hago	nosotros/as	hacemos
tú	haces	vosotros/as	hacéis
Ud., él, ella	hace	Uds., ellos/as	hacen

PONER (*to put*)			
yo	pongo	nosotros/as	ponemos
tú	pones	vosotros/as	ponéis
Ud., él, ella	pone	Uds., ellos/as	ponen

■ **Poner** normally means *to put*. However, with some electrical appliances, **poner** means *to turn on*.

> Yo **pongo** los platos y los vasos en la mesa y mi abuelo **pone** la televisión.
> *I put the plates and the glasses on the table and my grandfather turns on the T.V.*

SALIR (*to leave*)			
yo	salgo	nosotros/as	salimos
tú	sales	vosotros/as	salís
Ud., él, ella	sale	Uds., ellos/as	salen

■ **Salir** can be used with several different prepositions: to express that you are leaving a place, use **salir de**; to express the place of your destination, use **salir para**; to express with whom you go out or the person you date, use **salir con**; to express what you are going to do, use **salir a**.

> Yo **salgo de** mi cuarto ahora. *I'm leaving my room now.*
> Mi hermana **sale con** Mauricio. *My sister goes out with Mauricio.*
> Ellos **salen** a bailar los sábados. *They go out to dance on Saturdays.*

TRAER (*to bring*)			
yo	traigo	nosotros/as	traemos
tú	traes	vosotros/as	traéis
Ud., él, ella	trae	Uds., ellos/as	traen

OÍR (*to hear*)			
yo	oigo	nosotros/as	oímos
tú	oyes	vosotros/as	oís
Ud., él, ella	oye	Uds., ellos/as	oyen

4. *Hace* with expressions of time

■ To say that an action/state began in the past and continues into the present, use **hace** + *length of time* + **que** + present tense.

    Hace dos horas que juegan.   *They've been playing for two hours.*

■ If you begin the sentence with the present tense of the verb, do not use **que**.

    Trabajan hace dos horas.   *They've been working for two hours.*

■ To find out how long an action/state has been taking place, use **cuánto tiempo** + **hace que** + *present tense.*

    ¿Cuánto tiempo hace que juegan? *How long have they been playing?*

Some reflexive verbs and pronouns

REFLEXIVES		
yo	**me lavo**	*I wash myself*
tú	**te lavas**	*you wash yourself*
Ud.	**se lava**	*you wash yourself*
él/ella	**se lava**	*he/she washes himself/herself*

■ Reflexive verbs are those that express what people do to or for themselves.

REFLEXIVE
    Mi hermana **se lava.**   *My sister washes herself.*
                                     (She is the doer and the receiver.)

NON-REFLEXIVE
    Mi hermana **lava** el auto.   *My sister washes the car.*
                                     (She is the doer and the car is the receiver.)

■ A reflexive pronoun refers back to the subject of the sentence. In English this may be expressed by pronouns ending in *-self* or *-selves*; in many cases, Spanish uses reflexives where English does not.

    Yo **me levanto, me baño, me**   *I get up, take a shower, dry myself,*
      seco y me visto rápidamente.   *and get dressed quickly*

■ Place reflexive pronouns after the word **no** in negative constructions.

    Tú **no te peinas** por la mañana. *You don't comb your hair in the morning.*

■ The pronoun **se** attached to the end of an infinitive shows that the verb is reflexive:

    lavar   *to wash*
    lavarse   *to wash oneself*

Lección 5

La casa y los muebles

1. Present progressive

	ESTAR (*to be*)	PRESENT PARTICIPLE (*-ando/-iendo*)
yo	estoy	
tú	estás	hablando
Ud., él, ella	está	comiendo
nosotros/as	estamos	escribiendo
vosotros/as	estáis	
Uds., ellos/as	están	

- Use the present progressive to emphasize an action in progress at the moment of speaking, as opposed to a habitual action.

  Marcela **está limpiando** la casa. *Marcela is cleaning the house.*
  (at this moment)
  Marcela **limpia** la casa. *Marcela cleans the house.* (normally)

- Spanish does not use the present progressive to express future time, as English does; Spanish uses the present tense instead.

  Salgo mañana. *I'm leaving tomorrow.*

- Form the present progressive with the present of **estar** + *the present participle*. To form the present participle, add **-ando** to the stem of **-ar** verbs and **-iendo** to the stem of **-er** and **-ir** verbs.

hablar	→	hablando
comer	→	comiendo
escribir	→	escribiendo

- When the verb stem of an **-er** or an **-ir** verb ends in a vowel, add **-yendo**.

leer	→	leyendo
oír	→	oyendo

- Stem-changing **-ir** verbs (ou → e, e → ie, e → i) change o → u and e → i in the present participle.

dormir	(duermo)	→	durmiendo
sentir	(siento)	→	sintiendo
pedir	(pido)	→	pidiendo

2. Expressions with *tener*

■ You have already seen the expression **tener. . . años**. Spanish uses **tener +** *noun* in many cases where English uses *to be + adjective*. These expressions always refer to people or animals but never to things.

	hambre		*hungry*
	sed		*thirsty*
	sueño		*sleepy*
	miedo		*afraid*
tener	calor	to be	*hot*
	frío		*cold*
	suerte		*lucky*
	cuidado		*careful*
	prisa		*in a hurry/rush*
	razón		*right, correct*

■ With these expressions use **mucho(a)** to indicate very.

Tengo **mucho** calor.   *I am very hot.*
  (frío, miedo, sueño, cuidado)   *(cold, afraid, sleepy, careful)*
Tienen **mucha** hambre.   *They are very hungry.*
  (sed, suerte)   *(thirsty, lucky)*

■ Use **tener + que +** *infinitive* to express obligation.

Tengo que terminar hoy.   *I have to finish today.*

■ Use **hay que +** *infinitive* to express obligation without emphasizing the subject.

Hay que terminar hoy.   *It's necessary to finish today.*

3. Direct object nouns and pronouns

- Direct object nouns and pronouns answer the question **what?** or **whom?** in relation to the verb.

¿Qué lava Pedro?	*What does Pedro wash?*
(Pedro lava) **los platos**.	*(Pedro washes) the dishes.*

- When direct object nouns refer to a specific person, a group of persons, or to a pet, the word **a** precedes the direct object. This **a** is called the personal **a** and has no equivalent in English. The personal **a** + **el** contracts to **al**.

Amanda seca **los platos**.	*Amanda dries the dishes.*
Amanda seca **a la niña**.	*Amanda dries off the girl.*
¿Ves la piscina?	*Do you see the swimming pool?*
¿Ves **al** niño en la piscina?	*Do you see the child in the swimming pool?*

- Direct object pronouns replace direct object nouns. These pronouns refer to people, animals, or things already mentioned, and are used to avoid repeating the noun.

28

DIRECT OBJECT PRONOUNS	
me	*me*
te	*you* (familiar, singular)
lo	*you* (formal, singular), *him, it* (masculine)
la	*you (formal, singular), her, it* (feminine)
nos	*us*
os	*you* (familiar plural, Spain)
los	*you* (formal and familiar, plural), *them* (masculine)
las	*you* (formal and familiar, plural), *them* (feminine)

◾ Place the direct object pronoun before the conjugated verb form.

¿Limpia Mirta **el baño?**	*Does Mirta clean the bathroom?*
No, no **lo** limpia.	*No, she doesn't clean it.*
¿Quieres mucho **a tu perro?**	*Do you love your dog a lot?*
Sí, **lo** quiero mucho.	*Yes, I love him a lot.*

◾ With compound verb forms, composed of a conjugated verb and an infinitive or present participle, a direct object pronoun may be placed before the conjugated verb, or be attached to the accompanying infinitive or present participle. When a direct object pronoun is attached to a present participle, a written accent is needed over the stressed vowel (the vowel before **-ndo**) of the participle.

¿Vas a ver **a Rafael?**	*Are you going to see Rafael?*
Sí, **lo** voy a ver./Sí, voy a ver**lo.**	*Yes, I'm going to see him.*
¿Están limpiando **la casa?**	*Are they cleaning the house?*
Sí, **la** están limpiando.	*Yes, they're cleaning it.*
Sí, están limpiándo**la.**	

◾ Since the question word **quién(es)** refers to people, use the personal a when **quién(es)** is used as a direct object.

¿**A quién(es)** vas a ver?	*Whom are you going to see?*
Voy a ver **a** Pedro.	*I'm going to see Pedro.*

4. Demonstrative adjectives and pronouns

Demonstrative adjectives

Esta silla tiene que estar aquí
y esa mesa allí.

Los otros muebles están
allá, en aquel edificio.

- Demonstrative adjectives agree in gender and number with the noun they
  modify. English has two sets of demonstratives (*this*, *these* and *that*, *those*),
  but Spanish has three sets.

this	**este** cuadro **esta** butaca	*these*	**estos** cuadros **estas** butacas	
that	**ese** horno **esa** casa	*those*	**esos** hornos **esas** casas	
that (over there)	**aquel** edificio **aquella** casa	*those* (over there)	**aquellos** edificios **aquellas** casas	

- Use **este, esta, estos,** and **estas** when referring to people or things that are close to you in space or time.

Este escritorio es nuevo.	*This desk is new.*
Traen el sofá **esta** semana.	*They'll bring the sofa this week.*

- Use **ese, esa, esos,** and **esas** when referring to people or things that are not relatively close to you. Sometimes they are close to the person you are addressing.

Esa lámpara es muy bonita.	*That lamp is very pretty.*

- Use **aquel, aquella, aquellos,** and **aquellas** when referring to people or things that are more distant.

Aquel edificio es muy alto.	*That building (over there) is very tall.*

Demonstrative pronouns

- Demonstratives can be used as pronouns. A written accent mark may be placed on the stressed vowel to distinguish demonstrative pronouns from demonstrative adjectives.

Compran este espejo y **ése**.	*They are buying this mirror and that one.*

- To refer to a general idea or concept, or to ask for the identification of an object, use **esto, eso,** or **aquello**.

Trabajan mucho y **eso** es muy bueno.	*They work a lot and that is very good.*
¿Qué es **esto**?	*What is this?*
Es un espejo.	*It's a mirror.*

5. *Saber* and *conocer* (to know)

Both **saber** and **conocer** mean *to know*, but they are not used interchangeably.

	SABER	CONOCER
yo	sé	conozco
tú	sabes	conoces
Ud., él, ella	sabe	conoce
nosotros/as	sabemos	conocemos
vosotros/as	sabéis	conocéis
Uds., ellos/as	saben	conocen

- Use **saber** to express knowledge of facts or pieces of information.

    Él **sabe** dónde está el edificio.   *He knows where the building is.*

- Use **saber** + *infinitive* to express that you know how to do something.

    Yo **sé** jugar al tenis.   *I know how to play tennis.*

- Use **conocer** to express acquaintance with someone or something. **Conocer** also means *to meet*. Remember to use the personal **a** when referring to people.

    Conozco a mis vecinos.   *I know my neighbors.*
    Conozco bien ese libro.   *I am very familiar with that book.*
    Ella quiere **conocer a** Luis.   *She wants to meet Luis.*

More on adjectives

- Ordinal numbers are adjectives and agree in gender and number with the noun they modify (e.g., **la segunda casa**, **el cuarto edificio**). **Primero** and **tercero** drop the final **o** when used before a masculine singular noun.

    el **primer** cuarto   el **tercer** piso

- When **bueno** and **malo** precede masculine singular nouns, they are shortened to **buen** and **mal**.

    Es un **buen** edificio.   *It's a good building.*
    Es un **mal** momento para comprar.   *It's a bad time to buy.*

- **Grande** shortens to **gran** when it precedes any singular noun. Note the meaning associated with each position.

    Es una casa **grande**.   *It's a big house.*
    Es una **gran** casa.   *It's a great house.*

Lección
6

La ropa y las tiendas

1. Preterit tense of regular verbs

Spanish has two simple tenses to express the past: the preterit and the imperfect (**el pretérito y el imperfecto**). Use the preterit to talk about past events, actions, and conditions that are viewed as completed or ended.

	HABLAR	COMER	VIVIR
yo	hablé	comí	viví
tú	hablaste	comiste	viviste
Ud., él, ella	habló	comió	vivió
nosotros/as	hablamos	comimos	vivimos
vosotros/as	hablasteis	comisteis	vivisteis
Uds., ellos/as	hablaron	comieron	vivieron

- Note that the **nosotros** form of the preterit of -**ar** and -**ir** verbs is the same as the present **nosotros** form. Context will help you determine if it is present or past.

> **Llegamos** a la tienda a las tres.   *We arrive at the store at three.*
> *We arrived at the store at three.*

- Stem-changing -**ar** and -**er** verbs in the present do not change in the preterit.

> **pensar:**   pensé, pensaste, pensó, pensamos, pensasteis, pensaron
> **volver:**   volví, volviste, volvió, volvimos, volvisteis, volvieron

- Verbs ending in -**car** and -**gar** have a spelling change in the **yo** form to show how the word is pronounced. The spelling change of verbs ending in -**zar** (**empecé**) shows that Spanish rarely uses a **z** before **e** or **i**.

> **sacar:**   saqué, sacaste, sacó. . .
> **llegar:**   llegué, llegaste, llegó. . .
> **empezar:** empecé, empezaste, empezó. . .

- Some expressions that you can use with the preterit to denote past time are:

anoche	*last night*
anteayer	*day before yesterday*
ante(a)noche	*night before last*
ayer	*yesterday*
el año/mes pasado	*last year/month*
la semana pasada	*last week*

2. Preterit of *ir* and *ser*

IR AND SER	
yo	**fui**
tú	**fuiste**
Ud., él, ella	**fue**
nosotros/as	**fuimos**
vosotros/as	**fuisteis**
Uds., ellos/as	**fueron**

Ir and **ser** have identical forms in the preterit. Context will determine the meaning.

> Ernesto **fue** a la tienda.   *Ernesto went to the store.*
> Él **fue** vendedor en esa tienda.   *He was a salesman at that store* *(for some time).*

3. Indirect object nouns and pronouns

Ana María le da un regalo
a su amigo.
¿Qué le dice su amigo?
¿Qué le contesta Ana María?

INDIRECT OBJECT PRONOUNS	
me *to/for me*	**nos** *to/for us*
te *to/for you* (familiar)	**os** *to/for you* (familiar)
le *to/for you* (formal), *him, her, it*	**les** *to/for you* (formal), *them*

- Indirect object nouns and pronouns tell *to whom* or *for whom* an action is done.

> El profesor **me** explica la lección.   *The professor explains the lesson to me.*
> Yo **te** presto el dinero ahora.   *I'll lend you the money now.*

- Indirect object pronouns have the same form as direct object pronouns except in the third person: **le** and **les**.

> ¿El niño? Yo **lo** veo por la mañana.   *I see him in the morning.*
> (direct object)
> ¿El niño? Yo **le** leo cuentos por   *I read him stories in the morning.*
> la mañana.(indirect object)

35

- Place the indirect object pronoun before the conjugated verb form. It may be attached to an infinitive or to a present participle. Note the written accent mark when attaching an indirect object pronoun to the present participle.

> **Te** voy a comprar un regalo.
> Voy a comprar**te** un regalo.
> *I'm going to buy you a present.*
>
> Juan **nos** está preparando la cena.
> Juan está preparándo**nos** la cena.
> *Juan is preparing dinner for us.*

- Use indirect object pronouns even when the indirect object noun is stated explicitly.

> Yo **le** compré un regalo
> a **Victoria**.
> *I bought Victoria a present.*

- To eliminate ambiguity, **le** and **les** are often clarified with the preposition **a** + *pronoun*.

> **Le** hablo **a usted**.
> *I'm talking to you.* (not to him)
>
> Siempre **les** compro algo
> **a ellos**.
> *I always buy them something.*
> (not you)

- For emphasis, use **a mí, a ti, a nosotros/as,** and **a vosotros/as** with indirect object pronouns.

> Pedro **te** habla a **ti**.
> *Pedro is talking to you.*
> (not to someone else)

4. The verb *dar*

DAR *(to give)*		
	PRESENT	PRETERIT
yo	doy	di
tú	das	diste
Ud., él, ella	da	dio
nosotros/as	damos	dimos
vosotros/as	dais	disteis
Uds., ellos, ellas	dan	dieron

- **Dar** is almost always used with indirect object pronouns. Notice the difference in meaning between **dar** (*to give*) and **regalar** (*to give as a gift*).

> Ella le **da** la camisa a Pedro. *She gives (hands) Pedro the shirt.*
> Ella le **regala** la camisa a Pedro. *She gives Pedro the shirt (as a gift).*

- In the preterit, **dar** uses the endings of **-er** and **-ir** verbs.

5. *Gustar* and similar verbs

¿Le gusta esta camisa?   Me gustan éstas. ¿Y a usted?
No, no me gusta.   Me gustan mucho.

- In previous lessons you have used the verb **gustar** to express likes and dislikes. As you have noticed, **gustar** is not used the same way as the English verb *to like*. **Gustar** is similar to the expression *to be pleasing* (to someone).

  Me gustar ese vestido.
  I like that dress.
  (That dress is pleasing to me.)

- In this construction, the subject is the person or thing that is liked. The indirect object pronoun shows to whom something is pleasing.

Me		*I*
Te		*You* (familiar)
Le	gusta el traje.	*You* (formal), *He/She*
Nos		*We*
Os		*You* (familiar)
Les		*They, You* (formal and familiar)

like/s the suit.

- Generally, only two forms of **gustar** are used for the present (**gusta, gustan**) and two forms for the preterit (**gustó, gustaron**). If one person or thing is liked, use **gusta/gustó**. If two or more persons or things are liked, use **gustan/gustaron**. To express what people like or do not like to do, use **gusta** followed by infinitives.

Me **gusta** ese **collar**.	*I like that necklace.*
No me **gustaron** los anillos.	*I didn't like the rings.*
Nos **gusta caminar** por la mañana.	*We like to walk in the morning.*
¿No te **gusta correr** y **nadar**?	*Don't you like to run and swim?*

- Some other Spanish verbs that follow the pattern of **gustar** are **encantar** (*to delight, to love*), **interesar** (*to interest, to matter*), **parecer** (*to seem*), and **quedar** (*to fit, to have something left*).

- To express that you like or dislike a person, you may also use **caer bien** or **caer mal**, which follow the pattern of **gustar**.

    Les cae bien Miriam.   *They like Miriam.*
    La dependienta **me cae mal**.   *I don't like the salesclerk.*

- To emphasize or clarify to whom something is pleasing, use **a + mí, a + ti, a + él/ella**, etc. or **a +** *noun.*

    A mí me gustaron mucho los   *I liked the shoes a lot, but Pedro*
    zapatos, pero **a Pedro** no   *didn't like them.*
    le gustaron.

Some more uses of *por* and *para*

- Use **por** to indicate the reason or motivation for an action.

    No le compra el collar **por** el precio.   *He is not buying her the necklace*
                                     because it is too expensive
                                     (because of the price).

- If you use a verb to express the reason or motivation, then you must use **porque**.

    No le compra el collar **porque**   *He is not buying her the necklace*
      es muy caro.   *because is very expensive.*

- Use **para** to indicate for whom something is intended or done.

    Compró otro collar **para** su novia.   *He bought another necklace for*
                                        his girlfriend.

Lección 7

El tiempo y los deportes

1. Preterit tense of -er and -ir verbs whose stem ends in a vowel

LEER			
yo	leí	nosotros/as	leímos
tú	leíste	vosotros/as	leísteis
Ud., él, ella	leyó	Uds., ellos/as	leyeron

OÍR			
yo	oí	nosotros/as	oímos
tú	oíste	vosotros/as	oísteis
Ud., él, ella	oyó	Uds., ellos/as	oyeron

The preterit endings of verbs whose stem ends in a vowel are the same as those of regular -er and -ir verbs, except for the **usted, él, ella** form and the **ustedes, ellos, ellas** form, which end in -yó and -yeron.

2. Preterit tense of stem-changing -ir verbs (e → i) (o → u)

PREFERIR			
yo	preferí	nosotros/as	preferimos
tú	preferiste	vosotros/as	preferisteis
Ud., él, ella	prefirió	Uds., ellos/as	prefirieron

DORMIR			
yo	dormí	nosotros/as	dormimos
tú	dormiste	vosotros/as	dormisteis
Ud., él, ella	durmió	Uds., ellos/as	durmieron

- The preterit endings of stem-changing -ir verbs are the same as those for regular -ir verbs.

- Stem-changing -ir verbs (e → ie, e → i, o → ue) change e → i and o → u in the **usted, él, ella** and **ustedes, ellos, ellas** preterit forms.

  Marta prefirió salir temprano.   *Marta preferred to leave early.*
  José durmió tranquilamente.   *José slept calmly.*

3. Reflexive verbs and pronouns

REFLEXIVES		
yo	**me lavo**	*I wash myself*
tú	**te lavas**	*you wash yourself*
Ud.	**se lava**	*you wash yourself*
él/ella	**se lava**	*he/she washes himself/herself*
nosotros/as	**nos lavamos**	*we wash ourselves*
vosotros/as	**os laváis**	*you wash yourselves*
Uds.	**se lavan**	*you wash yourselves*
ellos/ellas	**se lavan**	*they wash themselves*

■ In **Lección 4** you learned that reflexive verbs express what people do *to* or *for* themselves. You also practiced the **yo, tú,** and **usted, él, ella** forms of some reflexive verbs, placing the reflexive pronouns before the conjugated verb. Now you will learn more about reflexives and practice other verb forms.

> Alicia **se levanta** a las siete y media. *Alicia gets up at seven thirty.*
> Nosotros **nos vestimos** rápidamente. *We get dress quickly.*

■ With verbs followed by an infinitive, place reflexive pronouns before the conjugated verb or attach them to the infinitive.

> Yo **me** voy a acostar a las diez. *I'm going to go to bed at ten.*
> Yo voy a acostar**me** a las diez.

■ With the present progressive (**estar + -ndo**), place reflexive pronouns before the conjugated form of **estar** or attach them to the present participle. When attaching a pronoun, add a written accent mark to the stressed vowel (the vowel preceding **-ndo**) of the present participle.

> Amelia **se** está maquillando ahora. *Amelia is putting on make up now.*
> Amelia está maquillándose ahora.

■ When referring to parts of the body and articles of clothing, use definite articles rather than possessives with reflexive verbs.

> Me lavo **los** dientes. *I brush my teeth.*
> Me pongo **la** sudadera. *I put on my sweatshirt.*

■ Some verbs change meaning when used reflexively.

acostar	*to put to bed*	acostarse	*to go to bed, to lie down*
dormir	*to sleep*	dormirse	*to fall asleep*
ir	*to go*	irse	*to go away, to leave (for)*
levantar	*to raise, to lift*	levantarse	*to get up*
llamar	*to call*	llamarse	*to be called*
quitar	*to take away*	quitarse	*to take off*

4. Pronouns after prepositions

Voy a la reunión del
equipo ahora.
¿Quieres ir conmigo?

Sí, voy contigo.

- In **Lección 6**, you used **a** + **mí**, **ti**, etc. to clarify or emphasize the indirect object pronoun: **Le di el suéter a él.** These same pronouns are used after other prepositions, such as **de**, **para**, and **sin**.

Siempre habla **de ti**.	*He's always talking about you.*
El boleto es **para mí**.	*The ticket is for me.*
No quieren ir **sin nosotros**.	*They don't want to go without us.*

- In some cases, Spanish does not use **mí** and **ti**. After **con**, use **conmigo** and **contigo**. After **entre**, use **yo** and **tú**.

¿Vas al partido **conmigo**?	*Are you going to the game with me?*
Sí, voy **contigo**.	*Yes, I'm going with you.*
Pedro va a sentarse **entre tú y yo**.	*Pedro is going to sit between you and me.*

5. Some irregular preterits

- Some irregular verbs do not stress the last syllable in the **yo**, and **usted**, **él**, **ella** preterit forms.

- The verbs **hacer**, **querer**, and **venir** have an **i** in the preterit stem.

INFINITIVE	NEW STEM	PRETERIT FORMS
hacer	**hic**	hice, hiciste, hizo, hicimos, hicisteis, hicieron
querer	**quis**	quise, quisiste, quiso, quisimos, quisisteis, quisieron
venir	**vin**	vine, viniste, vino, vinimos, vinisteis, vinieron

- The verbs **decir**, **traer**, and all verbs ending in -**ducir** (e.g., **traducir**-*to translate*) have a **j** in the stem and use the ending -**eron** instead of -**ieron**. **Decir** also has an **i** in the stem.

INFINITIVE	NEW STEM	PRETERIT FORMS
decir	dij	dije, dijiste, dijo, dijimos, dijisteis, dijeron
traer	traj	traje, trajiste, trajo, trajimos, trajisteis, trajeron
traducir	**traduj**	traduje, tradujiste, tradujo, tradujimos, tradujisteis, tradujeron

- The verbs **estar**, **tener**, **poder**, **poner**, and **saber** have a **u** in the preterit stem.[1]

INFINITIVE	NEW STEM	PRETERIT FORMS
estar	**estuv**	estuve, estuviste, estuvo, estuvimos, estuvisteis, estuvieron
tener	**tuv**	tuve, tuviste, tuvo, tuvimos, tuvisteis, tuvieron
poder	**pud**	pude, pudiste, pudo, pudimos, pudisteis, pudieron
poner	**pus**	puse, pusiste, puso, pusimos, pusisteis, pusieron
saber	**sup**	supe, supiste, supo, supimos, supisteis, supieron

Hace meaning *ago*

- To indicate the time that has passed since an action was completed, use **hace** + *length of time* + **que** + *preterit tense*. If you begin the sentence with the preterit tense of the verb, do not use **que**.

> **Hace** dos horas que llegaron.
> Llegaron **hace** dos horas.
> *They arrived two hours ago.*

Lección 8

Fiestas y tradiciones

1. The imperfect

Antes la música era más suave y romántica. Tenía más melodía y las orquestas eran magníficas.

Hoy en día no hay música, hay sólo ruido y la gente se mueve mucho para bailar.

Y seguro que tu abuela decía lo mismo de los niños.

Antes las familias hablaban y había más seguridad en las calles.

Ahora es horrible. Hay mucha violencia, mucha droga, mucho sexo, y los niños no respetan a las personas mayores.

- So far you have seen two ways of talking about the past in Spanish: the preterit and the imperfect. In the preceding monolog, the grandmother used the imperfect because she was focusing on what used to happen when she was young. If she had been focusing on the fact that an action was completed, like something she did yesterday, she would have used the preterit. Generally, the imperfect is used to:

1. express habitual or repeated actions in the past

Nosotros **íbamos** a la playa todos los días.

We used to go to the beach every day.

2. express an action or state that was in progress in the past

Agustín **estaba** muy contento y   *Agustín was very happy and he*
  hablaba de sus planes   *was talking about his plans with*
  con su hermana.   *his sister.*

3. describe characteristics and conditions in the past

La casa **era** blanca y **tenía** dos   *The house was white and it*
  dormitorios.   *had two bedrooms.*

4. tell time in the past

Era la una de la tarde, no **eran**   *It was one in the afternoon, it*
  las dos.   *wasn't two.*

5. tell age in the past

Ella **tenía** quince años entonces.   *She was fifteen years old then.*

- Some time expressions that often accompany the imperfect to express ongoing or repeated actions/states in the past are: **mientras, a veces, siempre, generalmente,** and **frecuentemente.**

2. Imperfect of regular and irregular verbs

REGULAR IMPERFECT			
	HABLAR	COMER	VIVIR
yo	habl**aba**	com**ía**	viv**ía**
tú	habl**abas**	com**ías**	viv**ías**
Ud., él, ella	habl**aba**	com**ía**	viv**ía**
nosotros/as	habl**ábamos**	com**íamos**	viv**íamos**
vosotros/as	habl**abais**	com**íais**	viv**íais**
Uds., ellos/as	habl**aban**	com**ían**	viv**ían**

- Note that the endings for **-er** and **-ir** verbs are the same. All these forms have a written accent over the í of the ending: comía, vivías.

- The Spanish imperfect has several English equivalents.

Mis amigos bailaban mucho. $\begin{cases} \textit{My friends danced a lot.} \\ \textit{My friends were dancing a lot.} \\ \textit{My friends used to dance a lot.} \\ \textit{My friends would dance a lot.} \\ \text{(implying a repeated action)} \end{cases}$

- There are no stem changes in the imperfect.

Ella no duerme bien ahora, pero antes dormía muy bien.
She doesn't sleep well now, but she used to sleep very well before.

■ Only three verbs are irregular in the imperfect.

    ir: iba, ibas, iba, íbamos, ibais, iban
    ser: era, eras, era, éramos, erais, eran
    ver: veía, veías, veía, veíamos, veíais, veían

■ The imperfect form of **hay** is **había** (*there was, there were, there used to be*). Both forms remain invariable.

Había una invitación en el correo.	*There was an invitation in the mail.*
Había muchas personas en la fiesta.	*There were many people at the party.*

3. The preterit and the imperfect

■ The preterit and the imperfect are not interchangeable.

■ Use the preterit:

1. to talk about the beginning or end of an event, action, or condition.

Pepito **leyó** a los cinco años.	*Pepito read at age five.* (began reading)
El niño **se enfermó** el sábado.	*The child got sick on Saturday.* (began feeling sick)
Pepito **leyó** el cuento.	*Pepito read the story.* (finished it)
El niño **estuvo** enfermo ayer.	*The child was sick yesterday.* (he is no longer sick)

2. to talk about an event, action, or condition that occurred over a period of time with a definite beginning and end.

Vivieron en México por diez años.	*They lived in Mexico for ten years.*

3. to narrate a sequence of completed actions in the past (note that there is a forward movement of narrative time).

Oyeron un ruido, se **levantaron**, y **bajaron** las escaleras.	*They heard a noise, got up, and went downstairs.*

- Use the imperfect:

   1. to talk about customary or habitual actions, events, or conditions in the past.

      Todos los días **llovía** y por eso   *It used to rain every day and*
         leíamos mucho.   *that's why we read a lot.*

   2. to talk about an ongoing part of an event, action, or condition.

      En ese momento **llovía** mucho y   *At that moment it was raining a*
         los niños **estaban** muy tristes.   *lot and the children were very sad.*

- In a story, the imperfect provides the background information, whereas the preterit tells what happened. Note that an ongoing action expressed with the imperfect is often interrupted by a completed action expressed with the preterit.

      Era Navidad. Todos **dormíamos**   *It was Christmas. All of us were*
         cuando los niños **oyeron** un ruido   *sleeping when the children heard*
         en el techo.   *a noise on the roof.*

4. Comparisons of inequality

En esta fiesta hay **más** personas **que** en la otra.

Es **más** divertida **que** la otra. Las personas bailan **más**.

En esta fiesta hay **menos** personas **que** en la otra.

Esta fiesta es **menos** alegre **que** la otra.

Las personas se divierten **menos**.

- Use **más… que** or **menos… que** to express comparisons of inequality with nouns, adjectives, and adverbs.

COMPARISONS OF INEQUALITY					
Cuando Alina era joven tenía	{ **más** / **menos** }	amigos que Pepe.	When Alina was young she had	{ more / fewer }	friends than Pepe.
Ella era	{ **más** / **menos** }	activa que él.	She was	{ more / less }	active than he.
Salía	{ **más** / **menos** }	frecuentemente que él.	She went out	{ more / less }	frequently than he.

■ Use **de** instead of **que** before numbers.

Hay **más de** diez carrozas en el desfile. — *There are more than ten floats in the parade.*

El año pasado vimos **menos de** diez. — *Last year we saw fewer than ten.*

■ The following adjectives have regular and irregular comparative forms.

bueno	**más bueno/mejor**	*better*
malo	**más malo/peor**[1]	*worse*
pequeño	**más pequeño/menor**	*smaller*
joven	**más joven/menor**	*younger*
grande	**más grande/mayor**	*bigger*
viejo	**más viejo/mayor**[2]	*older*

Esta banda es $\left\{ \begin{array}{l} \textbf{mejor} \\ \textbf{peor} \end{array} \right\}$ que aquélla. *This band is* $\left\{ \begin{array}{l} better \\ worse \end{array} \right\}$ *than that one.*

■ When **bien** and **mal** function as adverbs, they have the same irregular comparative forms as **bueno** and **malo**.

bien → mejor   Yo canto **mejor** que Héctor. — *I sing better than Héctor.*

mal → peor   Héctor canta **peor** que yo. — *Héctor sings worse than I.*

[1]**Más bueno** and **más malo** are not used interchangeably with **mejor** and **peor**. **Más bueno** and **más malo** refer to a person's moral qualities.
[2]Use **mayor** to refer to a person's age. **Más viejo** is generally used with nouns other than people.

5. Comparisons of equality

COMPARISONS OF EQUALITY	
tan... como	*as... as*
tanto/a... como	*as much... as*
tantos/as... como	*as many... as*
tanto como	*as much as*

■ Use **tan... como** to express comparisons of equality with adjectives and adverbs.

La boda fue **tan** elegante **como** la fiesta. — *The wedding was as elegant as the party.*

El padre bailó **tan** bien **como** su hija. — *The father danced as well as his daughter.*

■ Use **tanto(s)/tanta(s)... como** to express comparisons of equality with nouns.

Había **tanto** ruido **como** en el Carnaval. — *There was as much noise as at Mardi Gras.*

Había **tanta** alegría **como** en el Carnaval. — *There was as much joy as at Mardi Gras.*

Había **tantos** desfiles **como** en el Carnaval. — *There were as many parades as at Mardi Gras.*

Había **tantas** orquestas **como** en el Carnaval. — *There were as many orchestras as at Mardi Gras.*

■ Use **tanto como** to express comparisons of equality with verbs.

Ellos bailaron **tanto como** nosotros. *They danced as much as we did.*

6. The superlative

- Use superlatives to express *most* and *least* as degrees of comparison. To form the superlative, use *definite article + noun + más/menos + adjective*. To express *in* or *at* with the superlative, use *de*.

  Es **el** disfraz **más/menos** caro (de la fiesta).

  It is the most/least expensive costume (at the party).

- Do not use **más** or **menos** with **mejor, peor, mayor,** and **menor**.

  Son **los mejores** vinos del país.   *They are the best wines in the country.*

- You may delete the noun when it is clear to whom or to what you refer.

  Son **los mejores** del país.   *They're the best (ones) in the country.*

Superlative with *-ísimo*

- To express the idea of extremely, add the ending **-ísimo** (**-a, -os, -as**) to the adjective. If the adjective ends in a consonant, add **-ísimo** directly to the singular form of the adjective. If it ends in a vowel, drop the vowel before adding **-ísimo**.

fácil	El baile es **facilísimo**.	*The dance is extremely easy.*
grande	La carroza es **grandísima**.	*The float is extremely big.*
bueno	Las bandas son **buenísimas**.	*The bands are extremely good.*

Lección 9

El trabajo

1. *Se* + verb constructions

Se necesita

JEFE DE PERSONAL

para compañía multinacional

• Experiencia mínima 10 años
• Excelentes condiciones

Enviar currículum con foto a
Compañía Marsel, S.A.
Providencia 1275, Santiago

Se necesitan

VENDEDORES

*Empresa de teléfonos
celulares en La Serena*

Indispensable experiencia en ventas

**Solicitar entrevista
Teléfono 6352029**

- Spanish uses the **se** + *verb* construction to emphasize the occurrence of an action rather than the person(s) responsible for that action. The noun (what is needed, sold, offered, etc.) usually follows the verb. The person(s) who sell(s), offer(s), etc. is not mentioned. This is normally done in English with the passive voice *(is/are + past participle)*.

  Se habla español aquí.　　　　*Spanish is spoken here.*

- Use a singular verb with singular nouns and a plural verb with plural nouns.

  Se necesita un auto para ese trabajo.　　*A car is needed for that job.*

  Se venden flores allí.　　*Flowers are sold there.*

- When the **se** + *verb* construction is not followed by a noun, but rather by an adverb, an infinitive, or a clause, use a singular verb. This is done in English with indefinite subjects such as *they, you, one, people*.

  Se trabaja mucho en esa oficina.　*They work a lot in that office.*

  Se podía hablar con el jefe a cualquier hora.　*You could talk to the boss any time.*

  Se dice que recibió un aumento.　*They say he/she/you got a raise.*

2. More on the preterit and the imperfect

- In *Lección 7* you practiced the preterit of **saber** with the meaning of finding out about something. You also practiced the preterit of **querer** with the meaning of wanting or trying to do something, but failing to accomplish it.

Supe que llegaron anoche.	*I found out that they arrived last night.*
Quise ir al aeropuerto, pero fue imposible.	*I wanted (and tried) to go to the airport, but it was impossible.*

In the negative, the preterit of **querer** conveys the meaning of refusing to do something.

No quise ir.	*I refused to go.*

- Other verbs that convey a different meaning in English when the Spanish preterit is used follow:

IMPERFECT		PRETERIT	
Yo **conocía** a Ana.	*I knew Ana.*	**Conocí** a Ana.	*I met Ana.*
Podía hacerlo.	*I could do it. (was able)*	**Pude** hacerlo.	*I accomplished it. (managed to)*
No podía hacerlo.	*I couldn't do it. (wasn't able)*	**No pude** hacerlo.	*I couldn't do it. (tried and failed)*

- To express intentions in the past, use the imperfect of **ir + a +** *infinitive.*

Iba a salir, pero era muy tarde.	*I was going to go out, but it was very late.*

- You have used the imperfect to express an action or event that was in progress in the past. You may also use the imperfect progressive, especially when you want to emphasize the ongoing nature of the activity. Form the imperfect progressive with the imperfect of **estar** and the present participle (**-ndo**).

Pepe **estaba hablando** con el cajero cuando llegó el policía.	*Pepe was talking to the cashier when the policeman arrived.*

3. Direct and indirect object pronouns

- When direct and indirect object pronouns are used in the same sentence, the indirect object pronoun precedes the direct object pronoun. Place double object pronouns before conjugated verbs.

Ella me dio la solicitud.	*She gave me the application.*
Ella **me la** dio.	*She gave it to me.*

- In compound verb constructions, you may place double object pronouns before the conjugated verb or attach them to the accompanying infinitive or present participle.

Él quiere darme el contrato.	*He wants to give me the contract.*
Él quiere dár**melo**.	
Él **me lo** quiere dar.	*He wants to give it to me.*
Te está diciendo la verdad.	*She's telling you the truth.*
Te la está diciendo.	
Está diciéndo**tela**.	*She's telling it to you.*

- **Le** and **les** cannot be used with **lo**, **los**, **la**, or **las**. Change **le** or **les** to **se**.

Le dio el puesto a Berta.	*He gave the job to Berta.*
Se lo dio.	*He gave it to her.*
Les va a mostrar el anuncio.	*She's going to show them the ad.*
Se lo va a mostrar.	*She's going to show it to them.*

- When a direct object pronoun and a reflexive pronoun are used together, the reflexive pronoun precedes the direct object pronoun.

Siempre me envío correos electrónicos para recordar lo que debo hacer.	*I always send myself e-mails to remember what I have to do.*
Siempre **me los** envío.	*I always send them to myself.*

4. Formal commands

Por favor, llene la solicitud y mándela por correo.

■ Commands (**los mandatos**) are the verb forms used to tell others to do something. Use formal commands with people you address as **usted** or **ustedes**. To form these commands, drop the final **-o** of the **yo** form of the present tense and add **-e(n)** for **-ar** verbs and **-a(n)** for **-er** and **-ir** verbs.

		USTED	USTEDES	
hablar →	hable	hable	hablen	*speak*
comer →	come	coma	coman	*eat*
escribir →	escribe	escriba	escriban	*write*

■ Verbs that are irregular in the **yo** form of the present tense maintain the same irregularity in the command.

		USTED	USTEDES	
pensar →	pienso	piense	piensen	*think*
dormir →	duermo	duerma	duerman	*sleep*
repetir →	repito	repita	repitan	*repeat*
poner →	pongo	ponga	pongan	*put*

■ The use of **usted** and **ustedes** with command forms is optional. When used, they normally follow the command.

Pase/Pase **usted**. *Come in.*

- To make a formal command negative, place **no** before the affirmative command.

> **No salga** ahora.   *Don't leave now.*

- Object and reflexive pronouns are attached to the end of affirmative commands (note the written accent over the stressed vowel). Object and reflexive pronouns precede negative commands, and are not attached.

> Cómprela.   *Buy it.*
> No **la** compre.   *Don't buy it.*
> Háblenle.   *Talk to him/her.*
> No **le** hablen.   *Don't talk to him/her.*
> Siéntese.   *Sit down.*
> No **se** siente.   *Don't sit down.*

- The verbs **ir**, **ser**, and **saber** have irregular command forms.

> ir: **vaya, vayan**   ser: **sea, sean**   saber: **sepa, sepan**

- Verbs ending in -**car**, -**gar**, -**zar**, -**ger**, and -**guir** have spelling changes in command forms.

sacar	sac~~o~~	→	sa**que**, sa**quen**
jugar	jue**g**~~o~~	→	jue**gue**, jue**guen**
almorzar	almuerz~~o~~	→	almuer**ce**, almuer**cen**
recoger	reco**j**~~o~~	→	reco**ja**, reco**jan**
seguir	sig~~o~~	→	si**ga**, si**gan**

Lección 10

La comida y la nutrición

1. The present subjunctive

■ To form the present subjunctive, use the **yo** form of the present indicative, drop the final -o, and add the subjunctive endings. Notice that as with **usted/ustedes** commands, -ar verbs change the -a to -e, while -er and -ir verbs change the **e** and the **i** to a.

	HABLAR	COMER	VIVIR
yo	hable	coma	viva
tú	hables	comas	vivas
Ud., él, ella	hable	coma	viva
nosotros/as	hablemos	comamos	vivamos
vosotros/as	habléis	comáis	viváis
Uds., ellos/as	hablen	coman	vivan

■ The present subjunctive of the following verbs with irregular indicative **yo** forms is as follows:

conocer:	conozca, conozcas...	salir:	salga, salgas...
decir:	diga, digas...	tener:	tenga, tengas...
hacer:	haga, hagas...	traer:	traiga, traigas...
oír:	oiga, oigas...	venir:	venga, vengas...
poner:	ponga, pongas...	ver:	vea, veas...

■ The present subjunctive of **hay** is **haya**. The following verbs also have irregular subjunctive forms:

ir:	**vaya, vayas...**	saber:	**sepa, sepas...**
ser:	**sea, seas...**		

■ Stem-changing -ar and -er verbs follow the same pattern as the present indicative.

pensar: piense, pienses, piense, pensemos, penséis, piensen
volver: vuelva, vuelvas, vuelva, volvamos, volváis, vuelvan

■ Stem-changing -ir verbs follow the same pattern as the present indicative, but have an additional change in the **nosotros** and **vosotros** forms.

preferir: prefiera, prefieras, prefiera, prefiramos, prefiráis, prefieran
dormir: duerma, duermas, duerma, durmamos, durmáis, duerman

■ Verbs ending in -car, -gar, -ger, -zar, and -guir have spelling changes.

sacar: saque, saques, saque, saquemos, saquéis, saquen
jugar: juegue, juegues, juegue, juguemos, juguéis, jueguen
recoger: recoja, recojas, recoja, recojamos, recojáis, recojan
almorzar: almuerce, almuerces, almuerce, almorcemos, almorcéis, almuercen
seguir: siga, sigas, siga, sigamos, sigáis, sigan

2. The subjunctive used to express wishes and hope

■ Notice in the examples below that there are two clauses, each with a different subject. When the verb of the main clause expresses a wish or hope, use a subjunctive verb form in the dependent clause.

MAIN CLAUSE	DEPENDENT CLAUSE
La mamá **quiere**	que Alfredo **ponga** la mesa.
The mother wants	*Alfredo to set the table.*
Yo **espero**	que él **termine** temprano.
I hope	*he will finish early.*

■ When there is only one subject, use an infinitive instead of the subjunctive.

Los niños **necesitan almorzar** temprano para ir al gimnasio.	*The children need to have lunch early to go to the gym.*
El mayor **quiere prepararse** un sándwich.	*The older one wants to make himself a sandwich.*
El menor **desea tomar** leche con galletas.	*The younger one wants to have milk and cookies.*

■ With the verb **decir,** use the subjunctive in the dependent clause when expressing a wish or an order. Use the indicative when reporting information.

Dice que los niños **duermen.** (reporting information)	*She says (that) the children are sleeping.*
Dice que los niños **duerman.** (expressing an order)	*She says (that) the children should sleep.*

- Some common verbs that express want and hope are **desear, esperar, necesitar, preferir,** and **querer.**

> Quieren/Desean que **compres** mariscos. — *They want you to buy seafood.*

- Verbs which express an intention to influence the actions of others (**aconsejar, pedir, permitir, prohibir, recomendar**) also require the subjunctive. With these verbs, Spanish speakers often use an indirect object.

> **Les** permite que **salgan** esta noche. — *She allows them to go out tonight.*

- The expression **ojalá** (**que**) (*I/we hope*), which comes from Arabic, originally meaning *May Allah grant that ...,* is always followed by the subjunctive.

> Ojalá (que) ellos **vengan** temprano. — *I hope they'll come early.*
> Ojalá (que) **puedas** ir al supermercado. — *I hope you can go to the supermarket.*

- You may also try to impose your will or express your influence, wishes, and hope through some impersonal expressions such as **es necesario, es importante, es bueno,** and **es mejor.**

> Es necesario que ellos **vengan** temprano. — *It's necessary that they come early.*
> Es mejor que **comas** pescado. — *It's better that you eat fish.*

- If you are not addressing or speaking about someone in particular, use the infinitive.

> Es mejor **comer** pescado. — *It's better to eat fish.*

3. The subjunctive with verbs and expressions of doubt

■ When the verb in the main clause expresses doubt or uncertainty, use a subjunctive verb form in the dependent clause.

> Dudo que **vendan** pescado fresco. *I doubt (that) they sell fresh fish.*

■ When the verbs **creer** and **pensar** are used in the negative and doubt is implied, the subjunctive is used. In questions with these verbs, the subjunctive may be used to express uncertainty or to anticipate a negative response. If the question simply seeks information, use the indicative.

SUBJUNCTIVE

Hace sol, no creo que **llueva** hoy. *It's sunny out, I don't think it will rain.*

¿Crees que **haga** frío en La Paz? *Do you think it will be cold in La Paz?*
(I don't/I'm not sure.)

INDICATIVE

¿Crees que **hace** frío en La Paz? *Do you think it is/will be cold in La Paz?*
(Should I wear a coat?)

■ Use the subjunctive with impersonal expressions that denote doubt or uncertainty, such as: **es dudoso que, es difícil que, es probable que,** and **es posible que.**

> Es dudoso que **encontremos** *It's doubtful that we'll find*
>   frutas tropicales allí.   *tropical fruits there.*
> Es posible que **vendan** uvas. *It's possible that they sell grapes.*

■ Use the indicative with impersonal expressions that denote certainty: **es cierto/verdad que, es seguro que,** and **es obvio que.**

> Es verdad/cierto que el vino **es** *It's true that the wine is very good.*
>   muy bueno.

■ Since the expressions **tal vez** and **quizá(s)** convey uncertainty, the subjunctive is normally used.

> Tal vez ⎱
> Quizá(s) ⎰ ella **pruebe** el postre. *Perhaps she'll try the dessert.*

4. Indirect commands

You have used commands directly to tell others to do something: **Salga/Salgan ahora.** Now you are going to use indirect commands to say what someone else should do: **Que salga Berta.** Note that this indirect command is equivalent to saying **Quiero que Berta salga**, but without expressing the main verb **quiero**.

■ The word **que** introduces the indirect command. The subject, if stated, normally follows the verb.

Que cocine Roberto.	*Let Roberto cook.*
Que descanse María.	*Let María rest.*

■ Reflexive and object pronouns always precede the verb.

Que **se siente** a la mesa.	*Let him sit at the table.*
Que **le sirvan** la cena.	*Let them serve him dinner.*
Que **se la sirvan** ahora.	*Let them serve it to him now.*

Lección 11

La salud y los médicos

1. The subjunctive with expressions of emotion

■ When the verb of the main clause expresses emotion (e.g., fear, happiness, sorrow), use a subjunctive verb form in the dependent clause.

Sentimos mucho que el niño **tenga** fiebre.	*We're very sorry (that) the child has a fever.*
Me alegro de que **estés** con él.	*I'm glad (that) you're with him.*

■ Some common verbs that express emotion are **alegrarse** (**de**), **sentir**, **gustar**, **encantar**, **molestar**, and **temer** (*to fear*).

■ Impersonal expressions and other expressions that show emotion are also followed by the subjunctive.

Es triste que el niño **esté** enfermo.	*It's sad that the child is sick.*
¡**Qué lástima que** no **pueda** ir a la fiesta!	*What a shame that he cannot go to the party!*

2. The equivalents of English *let's*

■ **Vamos** + **a** + *infinitive* is commonly used in Spanish to express English *let's* + *verb*.

Vamos a llamar al doctor.	*Let's call the doctor.*

■ Use **vamos** by itself to mean *let's go*. The negative *let's not go* is **no vayamos**.

Vamos al hospital.	*Let's go to the hospital.*
No vayamos al hospital.	*Let's not go to the hospital.*

■ Another equivalent for *let's* + *verb* is the **nosotros** form of the present subjunctive.

Hablemos con el médico.	*Let's talk to the doctor.*
No hablemos con la enfermera.	*Let's not talk to the nurse.*

■ The final **-s** of reflexive affirmative commands is dropped when the pronoun **nos** is attached. Note the additional written accent.

Levantemos + nos	→	Levantémonos.
Sirvamos + nos	→	Sirvámonos.

■ Placement of object and reflexive pronouns is the same as with **usted(es)** commands.

Comprémosla.	*Let's buy it.*
No la compremos.	*Let's not buy it.*

3. Informal commands

Consejos para una vida sana

Respira por la nariz, no respires
    por la boca.
Relájate para evitar el estrés.
Empieza un programa de ejercicios.
Cuídate y no te canses mucho
    los primeros días.
Come muchas frutas y verduras.
No comas mucha grasa.

■ Use informal commands with those whom you address as **tú**. To form
   the affirmative **tú** command, use the present indicative **tú** form without the
   final -s.

	PRESENT INDICATIVE	AFFIRMATIVE *TÚ* COMMAND
llamar:	llamas	**llama**
leer:	lees	**lee**
escribir:	escribes	**escribe**

■ For the negative **tú** command, use the **tú** subjunctive form.

   No llames.
   No leas.
   No escribas.

■ Placement of object and reflexive pronouns with **tú** commands is the same
   as with **usted** commands.

AFFIRMATIVE COMMAND	NEGATIVE *TÚ* COMMAND
Bébela.	No **la** bebas.
Háblale.	No **le** hables.
Siéntate.	No **te** sientes.

■ The plural of **tú** commands in Spanish-speaking America is the **ustedes**
   command.

   Escribe (tú).   **Escriban** (ustedes).

■ Some **-er** and **-ir** verbs have shortened affirmative tú commands, but their negative command takes the subjunctive form like other verbs.

	AFFIRMATIVE	NEGATIVE
poner:	pon	no pongas
salir:	sal	no salgas
tener:	ten	no tengas
venir:	ven	no vengas
hacer:	haz	no hagas
decir:	di	no digas
ir:	ve	no vayas
ser:	sé	no seas

4. *Por* and *para* (review)

In previous lessons, you have used **por** in expressions such as **por favor, por ejemplo**, and **por ciento**. You have also used **por** and **para** to express the following meanings:

POR	PARA
MOVEMENT	
through or by a place	toward a destination
Caminaron **por** el hospital.	Caminaron **para** el hospital.
They walked through the hospital.	*They walked toward the hospital.*
TIME	
duration of an event	action deadline
Estuvo con el médico **por** una hora.	Necesita el antibiótico **para** el martes.
He was with the doctor for an hour.	*He needs the antibiotic by Tuesday.*
ACTION	
reason or motive of an action	for whom something is intended or done
Ana fue al consultorio **por** el dolor de garganta.	Compró el antibiótico **para** Ana.
Ana went to the doctor's office because of a sore throat.	*He bought the antibiotic for Ana.*

5. Additional uses of *por* and *para*

Use **por** to:

- indicate exchange or substitution

  Irma pagó $120 **por** la medicina.　*Irma paid $120 for the medicine.*
  Cambió estas pastillas **por** ésas.　*She changed these pills for those.*

- express unit or rate

  Yo camino 5 kilómetros **por** hora.　*I walk 5 kilometers per hour.*
  El interés es (el) diez **por** ciento.　*The interest is ten per cent.*

- express means of transportation

  Lo mandaron **por** avión.　*They sent it by plane.*
  Prefieren ir **por** tren.　*They'd rather go by train.*

- express the object of an errand

  Fue **por** las aspirinas.　*He went for the aspirins.*
  Pasamos **por** ti a las 5:00.　*We'll come by for you at 5:00.*

Use **para** to:

- express judgment or point of view

Para nosotros, ésta es la mejor farmacia.	*For us, this is the best drugstore.*
Es un caso difícil **para** un médico joven.	*It's a difficult case for a young doctor.*

- indicate intention or purpose followed by an infinitive

Fueron **para** comprar aspirinas.	*They went to buy aspirin.*
Salió **para** ayudar a los enfermos.	*He left to help the sick people.*

6. Relative pronouns

- The relative pronouns **que** and **quien(es)** combine two clauses into one sentence.

Los médicos trabajan en ese hospital.	*The doctors work at that hospital.*
Los médicos son excelentes.	*The doctors are excellent.*
Los médicos **que** trabajan en ese hospital son excelentes.	*The doctors who work at that hospital are excellent.*

- **Que** is the most commonly used relative pronoun. It introduces a dependent clause and it may refer to persons or things.

Las vitaminas **que** yo tomo son muy caras.	*The vitamins that I take are very expensive.*
Ése es el doctor **que** me receta las vitaminas.	*That's the doctor who prescribes the vitamins.*

- **Quien(es)** refers only to persons and may replace **que** in a clause set off by commas.

Los Márquez, **quienes/que** viven en la ciudad, prefieren el campo.	*The Márquezes, who live in the city, prefer the country.*

- Use **quien(es)** after a preposition (**a, con, de, por, para,** etc.) when referring to people.

Allí está el enfermero **con quien** hablé esta mañana.	*There is the nurse with whom I spoke this morning.*
Ésos son los señores **a quienes** les debes dar la receta.	*Those are the gentlemen to whom you should give the prescription.*

Lección 12

Las vacaciones y los viajes

1. Affirmative and negative expressions

AGENTE: Lo siento, ese vuelo está lleno. No hay ningún asiento disponible.
RICARDO: ¿Y el de la tarde?
AGENTE: Hay algunos asientos vacíos, pero el vuelo hace escala en San José.

MARISELA: ¿Y no hay otro vuelo directo?
AGENTE: No, es el único pero, ¿por qué no reservan en el vuelo de la tarde y los pongo en la lista de espera para el otro?
RICARDO: Está bien. Siempre hay alguien que cancela.

AFFIRMATIVE		NEGATIVE	
todo	*everything*	nada	*nothing*
algo	*something, anything*		
todos	*everybody, all*	nadie	*no one, nobody*
alguien	*someone, anyone*		
algún, alguno/a	*some, any,*	ningún,	*no, not any, none*
(-os, -as)	*several*	ninguno/a	
o... o	*either... or*	ni... ni	*neither... nor*
siempre	*always*	nunca	*never, (not) ever*
una vez	*once*		
alguna vez	*sometime, ever*	jamás	*never, (not) ever*
algunas veces	*sometimes*		
a veces	*at times*		
también	*also, too*	tampoco	*neither, not*

■ Negative words may precede or follow the verb. If they follow the verb, use the word **no** before the verb.

> **Nadie** vive aquí.
> **No** vive **nadie** aquí.
>
> *No one/Nobody lives here.*

■ **Alguno** and **ninguno** shorten to **algún** and **ningún** before masculine singular nouns.

> ¿Ves **algún** coche?
> **No** veo **ningún** coche.
>
> *Do you see any cars?*
> *I don't see any car.*

■ Use the personal **a** when **alguno/a/os/as** and **ninguno/a** refer to persons and are the direct object of the verb. Use it also with **alguien** and **nadie** since they always refer to people. Notice that in the negative only the singular forms **ninguno** and **ninguna** are used.

> ¿Conoces **a alguno** de los chicos?
> **No**, no conozco **a ninguno**.
>
> *Do you know any of the boys?*
> *I don't know any.*

> ¿Conoces **alguno** de los libros?
> No, **no** conozco **ninguno**.
>
> *Do you know any of the books?*
> *No, I don't know any.*

2. Indicative and subjunctive in adjective clauses

■ An adjective clause is a dependent clause that is used as an adjective.

ADJECTIVE

Vamos a ir a un hotel muy   **moderno.**

ADJECTIVE CLAUSE

Vamos a ir a un hotel   **que es muy moderno.**

■ Use the indicative in an adjective clause that refers to a person, place, or thing (antecedent) that exists or is known.

> Hay un hotel que **queda** cerca de la estación.
> *There is a hotel that is near the station.*

> Quiero viajar en el tren que **sale** por la mañana.
> *I want to travel on the train that leaves in the morning.*
> (you know there is such a train)

■ Use the subjunctive in an adjective clause that refers to a person, place, or thing that does not exist or whose existence is unknown or in question.

> No hay ningún hotel que **quede** cerca de la estación.
> *There isn't any hotel that is near the station.*

> Quiero viajar en un tren que **salga** por la mañana.
> *I want to travel on a train that leaves in the morning.*
> (any train as long as it leaves in the morning)

- When the antecedent is a specific person and functions as a direct object, use the indicative and the personal **a**. If the antecedent is not a specific person, use the subjunctive and do not use the personal **a**.

> Busco **a** la/una auxiliar que **va** en ese vuelo.
> *I'm looking for the/a flight attendant that goes on that flight.*
> (a specific flight attendant I have knowledge is on that flight)

> Busco una auxiliar que **vaya** en ese vuelo.
> *I'm looking for a flight attendant that goes on that flight.*
> (any flight attendant as long as she goes on that flight)

- In questions, you may use the indicative or the subjunctive according to the degree of certainty you have about the matter.

> ¿Hay alguien aquí que **sale** en ese vuelo?
> *Is there anyone here leaving on that flight?*
> (I don't know, but assume there may be.)

> ¿Hay alguien aquí que **salga** en ese vuelo?
> *Is there anyone here leaving on that flight?*
> (I don't know, but I doubt it.)

3. Stressed possessive adjectives

74

SINGULAR		PLURAL		
MASCULINE	FEMININE	MASCULINE	FEMININE	
mío	mía	míos	mías	my, (of) mine
tuyo	tuya	tuyos	tuyas	your (familiar), (of) yours
suyo	suya	suyos	suyas	your (formal), his, her, its, their, (of) yours, his, hers, theirs
nuestro	nuestra	nuestros	nuestras	our, (of) ours
vuestro	vuestra	vuestros	vuestras	your (fam.), (of) yours

Stressed possessive adjectives follow the noun they modify and agree with it in gender and number. An article or demonstrative adjective usually precedes the noun. Use stressed possessives for emphasis.

El cuarto **mío** es grandísimo.   *My room is very big.*
La maleta **mía** está en la recepción. *My suitcase is at the front desk.*
Esos primos **míos** llegan hoy.   *Those cousins of mine arrive today.*
Las llaves **mías** están en la puerta. *My keys are in the door.*

Possessive pronouns

SINGULAR		PLURAL	
MASCULINE	FEMININE	MASCULINE	FEMININE

	MASCULINE		FEMININE		MASCULINE		FEMININE
	mío		mía		míos		mías
	tuyo		tuya		tuyos		tuyas
el	suyo	la	suya	los	suyos	las	suyas
	nuestro		nuestra		nuestros		nuestras
	vuestro		vuestra		vuestros		vuestras

Possessive pronouns have the same form as stressed possessive adjectives.

The definite article precedes the possessive pronoun, and they both agree in gender and number with the noun they refer to.

¿Tienes la mochila suya?   *Do you have his backpack?*
Sí, tengo **la suya.**   *Yes, I have his.*

After the verb **ser**, the article is usually omitted.

Esa maleta es **mía.**   *That suitcase is mine.*

■ To be clearer and more specific, the following structures may be used to replace any corresponding form of **el/la suyo/a**.

	la de usted	*yours* (sing.)
	la de él	*his*
	la de ella	*hers*
la mochila suya → **la suya** *or*		
	la de ustedes	*yours* (pl.)
	la de ellos	*theirs* (masc., pl.)
	la de ellas	*theirs* (fem., pl.)

5. The future tense

You have been using the present tense and **ir + a** + *infinitive* to express future plans. Spanish also has a future tense. While you have these other ways to express the future action/event/state, you should be able to recognize the future tense in reading and in listening.

■ The future tense is formed by adding the future endings -é, -ás, -á, -emos, -éis, and -án to the infinitive. These endings are the same for -**ar**, -**er**, and -**ir** verbs.

FUTURE TENSE			
	HABLAR	COMER	VIVIR
yo	hablaré	comeré	viviré
tú	hablarás	comerás	vivirás
Ud., él, ella	hablará	comerá	vivirá
nosotros/as	hablaremos	comeremos	viviremos
vosotros/as	hablaréis	comeréis	viviréis
Uds., ellos/as	hablarán	comerán	vivirán

■ A few verbs have irregular stems in the future tense and can be grouped into three categories. The first group drops the **e** from the infinitive ending.

IRREGULAR FUTURE – GROUP 1		
INFINITIVE	NEW STEM	FUTURE FORMS
poder	**podr-**	podré, podrás, podrá, podremos, podréis, podrán
querer	**querr-**	querré, querrás, querrá, querremos, querréis, querrán
saber	**sabr-**	sabré, sabrás, sabrá, sabremos, sabréis, sabrán

■ The second group replaces the **e** or **i** of the infinitive ending with a **d**.

IRREGULAR FUTURE – GROUP 2		
INFINITIVE	NEW STEM	FUTURE FORMS
poner	**pondr-**	pondré, pondrás, pondrá, pondremos, pondréis, pondrán
tener	**tendr-**	tendré, tendrás, tendrá, tendremos, tendréis, tendrán
salir	**saldr-**	saldré, saldrás, saldrá, saldremos, saldréis, saldrán
venir	**vendr-**	vendré, vendrás, vendrá, vendremos, vendréis, vendrán

■ The third group consists of two verbs (**decir, hacer**) that have completely different stems in the future tense.

IRREGULAR FUTURE – GROUP 3		
INFINITIVE	NEW STEM	FUTURE FORMS
decir	**dir-**	diré, dirás, dirá, diremos, diréis, dirán
hacer	**har-**	haré, harás, hará, haremos, haréis, harán

■ In addition to referring to future actions, the Spanish future tense can also be used to express probability in the present.

Todavía no están en el hotel.	*They still are not at the hotel.*
El vuelo **estará** atrasado, ¿no?	*The flight is probably / must be late, right?*
Dice que va a ver la telenovela, así que **serán** las nueve.	*He says he is going to watch the soap opera, so it must be nine.*

■ The future of **hay** is **habrá**.

Habrá muchos pasajeros en el vuelo.	*There will be many passengers on the flight.*

Lección 13

Los hispanos en los Estados Unidos

1. The conditional

In **Lección 6,** you began to use the expression **me gustaría...** to express what you would like. **Gustaría** is a form of the conditional. The conditional is easy to recognize. It is formed by adding the endings **-ía, -ías, -ía, -íamos, -íais, -ían** to the infinitive.

CONDITIONAL			
	HABLAR	COMER	VIVIR
yo	hablaría	comería	viviría
tú	hablarías	comerías	vivirías
Ud., él, ella	hablaría	comería	viviría
nosotros/as	hablaríamos	comeríamos	viviríamos
vosotros/as	hablaríais	comeríais	viviríais
Uds., ellos/as	hablarían	comerían	vivirían

■ Verbs that have an irregular stem in the future have that same stem in the conditional.

IRREGULAR CONDITIONAL VERBS		
INFINITIVE	NEW STEM	CONDITIONAL FORMS
haber	**habr-**	habría, habrías, habría...
poder	**podr-**	podría, podrías, podría...
querer	**querr-**	querría, querrías, querría...
saber	**sabr-**	sabría, sabrías, sabría...
poner	**pondr-**	pondría, pondrías, pondría...
tener	**tendr-**	tendría, tendrías, tendría...
salir	**saldr-**	saldría, saldrías, saldría...
venir	**vendr-**	vendría, vendrías, vendría...
decir	**dir-**	diría, dirías, diría...
hacer	**har-**	haría, harías, haría...

■ The use of the conditional in Spanish is similar to the use of the construction *would + verb* in English when hypothesizing about a situation that does not form part of the speaker's reality.

Yo **saldría** temprano para el concierto.

I would leave early for the concert.

When English *would* implies *used to*, the imperfect is used.

Cuando era chica, **salía** temprano para la escuela.

When I was young, I would (used to) leave early for school.

■ Spanish also uses the conditional to express probability in the past.

Estaba tomando café. **Serían** las diez de la mañana.

I was having coffee. It was probably ten in the morning.

2. The past participle and the present perfect

■ Both Spanish and English have perfect tenses that are used to refer to past actions/events/conditions. Both languages use an auxiliary verb (**haber** in Spanish, *to have* in English) and a past participle. In English, past participles are often formed with the endings *-ed* and *-en*, for example *finished, eaten*. You will learn more about Spanish past participles below.

■ All past participles of **-ar** verbs end in **-ado** while past participles of **-er** and **-ir** verbs generally end in **-ido**. If the stem of an **-er** or **-ir** verb ends in a vowel, use a written accent on the **i** of **-ido** (leer → leído).

PRESENT TENSE HABER	+	PAST PARTICIPLE
yo	he	
tú	has	
Ud., él, ella	ha	hablado
nosotros/as	hemos	comido
vosotros/as	habéis	vivido
Uds., ellos/as	han	

■ Form the present perfect of the indicative by using the present tense of **haber** as an auxiliary verb with the past participle of the main verb. **Tener** is never used as the auxiliary verb to form the perfect tense.

Han trabajado mucho para comprar la casa.	*They have worked a lot to buy the house.*
Algunos músicos hispanos **han obtenido** muchos premios.	*Some Hispanic musicians have gotten many awards.*

■ Use the present perfect to refer to a past event, action, or condition that has some relation to the present.

Victoria, ¿ya **has comido**?	*Victoria, have you eaten yet?*
No, no **he comido** todavía.	*No, I haven't eaten yet.*

■ Place object and reflexive pronouns before the auxiliary **haber**. Do not place any word between **haber** and the past participle.

¿**Le** has dado el libro de Julia Álvarez?	*Have you given her Julia Alvarez' book?*
No, todavía no **se lo** he dado.	*No, I haven't given it to her yet.*

- Some -er and -ir verbs have irregular past participles. Here are some of the more common ones:

IRREGULAR PAST PARTICIPLES			
hacer	hecho	abrir	abierto
poner	puesto	escribir	escrito
romper	roto	cubrir	cubierto
ver	visto	decir	dicho
volver	vuelto	morir	muerto

- The present perfect of **hay** is **ha habido**.

> **Ha habido** más trabajo últimamente.
>
> *There has been more work lately.*

- Use the present tense of **acabar + de** + *infinitive*, not the present perfect, to state that something has just happened.

> **Acabo de oír** las noticias.
>
> *I have just heard the news.*

3. Past participles used as adjectives

- When a past participle is used as an adjective, it agrees with the noun it modifies.

un cantante **conocido**	*a well known singer*
una puerta **cerrada**	*a closed door*
los libros **abiertos**	*the open books*
unas películas **alquiladas**	*some rented films*

- Spanish uses **estar** + *past participle* to express a state or condition resulting from a prior action.

ACTION	RESULT
Ella terminó el trabajo.	El trabajo **está terminado**.
Magdalena se sentó.	Magdalena **está sentada**.
Reservaron las habitaciones.	Las habitaciones **están reservadas**.

4. Reciprocal verbs and pronouns

Se llevan muy mal.

No se comunican ni por
teléfono.

Se odian y se pelean todo
el tiempo.

- Use the plural reflexive pronouns (**nos, os, se**) to express reciprocal
  actions. In English, reciprocal actions are usually expressed with *each
  other* or *one another*.

Muchos hispanos **se abrazan** cuando **se saludan**.	*Many Hispanics embrace when they greet each other.*
Nosotros **nos vemos** todas las semanas.	*We see each other every week.*
En mi familia **nos llevamos** muy bien.	*In our family we get along very well.*

Lección 14

Cambios de la sociedad

1. Adverbial conjunctions that always require the subjunctive

a menos que	*unless*	**para que**	*so that*
antes (de) que	*before*	**sin que**	*without*
con tal (de) que	*provided that*		

■ These conjunctions always require the subjunctive when followed by a dependent clause.

> Los empleados tienen una reunión **antes de que** su representante **hable** con el director.
> *The employees are having a meeting before their representative speaks with the director.*

> Ellos aceptan el mismo sueldo **con tal de que mejore** el plan de hospitalización.
> *They accept the same salary provided that the hospitalization plan improves.*

> El representante habla con el director **para que** los empleados **tengan** más beneficios.
> *The representative speaks with the director so that the employees may have more benefits.*

2. Adverbial conjunctions: subjunctive or indicative

aunque	*although, even though, even if*	**en cuanto**	*as soon as*
		hasta que	*until*
como	*as, how, however*	**mientras**	*while*
cuando	*when*	**según**	*according to, as*
después (de) que	*after*	**tan pronto**	
donde	*where, wherever*	**(como)**	*as soon as*

■ These conjunctions require the subjunctive when the event in the adverbial clause has not yet occurred. Note that the main clause expresses future time.

> Va a luchar **hasta que** la compañía **tenga** un programa de entrenamiento.
> *She is going to fight until the company starts a training program.*

> Nos reuniremos **después que comiencen** el programa.
> *We'll meet after they start the program.*

> Me llamará **tan pronto reciba** la aprobación del programa.
> *She'll call me as soon as she receives the approval of the program.*

- These conjunctions require the indicative when the event in the adverbial clause has taken place, is taking place, or usually takes place.

> Siempre apoya a los empleados **hasta que comienza** el programa de entrenamiento.
> *She always provides support to the employees until the training program starts.*

> Nos reunimos **después que comenzaron** el programa.
> *We met after they started the program.*

> Me llamó **tan pronto recibió** la aprobación del programa.
> *She called me as soon as she received the approval for the program.*

- **Como, donde,** and **según** require the indicative when they refer to something definite or known, and the subjunctive when they refer to something indefinite or unknown.

> Van a organizar el programa **como sugiere** el consejero.
> *They're going to organize the program as the adviser suggests.*

> Van a organizar el programa **como sugiera** el consejero.
> *They're going to organize the program as the adviser may suggest.*

> Vamos a reunirnos **donde** ella **dice**.
> *We're going to meet where she says.*

> Vamos a reunirnos **donde** ella **diga**.
> *We're going to meet wherever she says.*

> Llena el formulario **según dice** el consejero.
> *Fill the form according to what the adviser says.*

> Llena el formulario **según diga** el consejero.
> *Fill the form according to whatever the adviser says.*

- **Aunque** also requires the subjunctive when it introduces a condition not regarded as fact.

Lo compro **aunque es** caro.	*I'll buy it although it is expensive.*
Lo compro **aunque sea** caro.	*I'll buy it although it may be expensive.*

4. Infinitive as subject of a sentence and as object of a preposition

No pisar
el césped.

PROHIBIDO
ESTACIONAR

No fumar

Hablar en
voz baja

■ The infinitive is the only verb form that may be used as the subject of a
sentence. As the subject, it corresponds to the English *-ing* form.

Caminar es un buen ejercicio.	*Walking is a good exercise.*
Fumar no es bueno para la salud.	*Smoking is not good for your health.*

■ Use an infinitive after a preposition.

Llama **antes de ir**.	*Call before going.*
No llegues **sin avisarles**.	*Don't arrive without letting them know.*

■ **Al** + infinitive is the equivalent of **cuando** + *verb*.

Al llegar, llamó al director.	*Upon arriving, he called the director.*
Cuando llegó, llamó al director.	*When he arrived, he called the director.*

88

Lección 15

La ciencia y la tecnología

1. The imperfect subjunctive

In Lecciones **10, 11, 12,** and **14,** you studied the forms and uses of the present subjunctive. Now you will study the past subjunctive, which is also called the imperfect subjunctive. All regular and irregular past subjunctive verb forms are based on the **ustedes, ellos/as** form of the preterit. Drop the **-on** preterit ending and substitute the past subjunctive endings. The following chart will help you see how the past subjunctive is formed. Note the written accent on **nosotros** forms.

	PAST OR IMPERFECT SUBJUNCTIVE			
	HABLAR	COMER	VIVIR	ESTAR
	(hablaron)	(comieron)	(vivieron)	(estuvieron)
yo	hablara	comiera	viviera	estuviera
tú	hablaras	comieras	vivieras	estuvieras
Ud., él, ella	hablara	comiera	viviera	estuviera
nosotros/as	habláramos	comiéramos	viviéramos	estuviéramos
vosotros/as	hablarais	comierais	vivierais	estuvierais
Uds., ellos/as	hablaran	comieran	vivieran	estuvieran

■ The present subjunctive is oriented to the present or future while the past subjunctive focuses on the past. In general, the same rules that determine the use of the present subjunctive also apply to the past subjunctive.

HOY → PRESENT SUBJUNCTIVE

Los astronautas quieren que los trajes espaciales **sean** más ligeros.
The astronauts want that the space suits be lighter.

Van a cambiar los trajes espaciales para que **sean** más ligeros.
They are going to change the space suits so they' ll be lighter.

AYER → PAST SUBJUNCTIVE

Los astronautas querían que los trajes espaciales **fueran** más ligeros.
The astronauts wanted that the space suits be lighter.

Cambiaron los trajes espaciales para que **fueran** más ligeros.
They changed the space suits so they would be lighter.

■ Use the past subjunctive after the expression **como si** (*as if, as though*). The verb in the main clause may be in the present or in the past.

Gastan dinero en aparatos electrónicos **como si fueran** ricos.
They spend money in electronic gadgets as though they were rich.

Hablaba con el científico **como si entendiera** el problema.
He talked with the scientist as if he understood the problem.

2. *If*-clauses

■ Use the present or future indicative in the main clause and present indicative in the *if*-clause to express what happens or will happen if certain conditions are met.

Puedes obtener información sobre el Amazonas si la **buscas** en la Internet.
You can get information on the Amazon if you look for it in the Internet.

Los bosques van a desaparecer si **continuamos** cortando árboles.
Forests will disappear if we continue cutting trees down.

Si **cuidamos** nuestros recursos naturales, las generaciones futuras **tendrán** una vida mejor.
If we take care of our natural resources, future generations will have a better life.

■ Use the imperfect subjunctive in the *if*-clause to express a condition that is unlikely or contrary-to-fact. Use the conditional in the main clause.

Si le **dieran** más dinero al aeropuerto, el tráfico aéreo **podría** mejorar.
If the airport were to get more money, air traffic could improve.

Si **usáramos** la energía solar en las casas, **ahorraríamos** mucho petróleo.
If we used solar energy in our homes, we would save a lot of oil.

3. *Se* for unplanned occurrences

■ Use **se** + *indirect object* + *verb* to express unplanned or accidental events. This construction emphasizes the event in order to show that no one is directly responsible.

Se **les apagaron** las luces.	*Their lights went out.*
A él **se le acabó** el dinero.	*He ran out of money.*
Se **nos olvidó** el número.	*We forgot the number.*
A los Álvarez se **les descompuso** la computadora.	*The Alvarez's computer broke down.*
Se **te rompió** la chaqueta.	*Your jacket got torn.*

■ Use an indirect object pronoun (**me, te, le, nos, os, les**) to indicate whom the unplanned or accidental event affects. Place it between **se** and the verb. If what is lost, forgotten, and so on, is plural, the verb also must be plural.

Se **me quedó** el dinero en el hotel.	*I left the money in the hotel.*
Se **me quedaron** los boletos en casa.	*I left the tickets at home.*

Expansión
gramatical

1. *Vosotros* commands

	AFFIRMATIVE	NEGATIVE
hablar:	hablad	no habléis
comer:	comed	no comáis
escribir:	escribid	no escribáis

■ To use the affirmative **vosotros** command, change the final –r of the infinitive to –d.

■ Use the **vosotros** form of the present subjunctive for the **vosotros** negative command.

■ For the affirmative **vosotros** command of reflexive verbs, drop the final –d and add the pronoun **os**: **levantad + os = levantaos.** The verb **irse** is an exception: **idos.**

2. The present perfect subjunctive

The present perfect subjunctive is formed with the present subjunctive of the verb **haber** + *past participle.*

PRESENT SUBJUNCTIVE OF *HABER* + PAST PARTICIPLE		
yo	haya	
tú	hayas	
Ud., él/ella	haya	hablado
nosotros/as	hayamos	comido
vosotros/as	hayáis	vivido
Uds., ellos/as	hayan	

Use this tense to express a completed action, event, or condition in sentences that require the subjunctive. Note that the dependent clause using the present perfect subjunctive describes what has happened before the time expressed or implied in the main clause, which is the present. Its English equivalent is normally *has/have + past participle,* but it may vary according to the context.

> Me alegro de que **hayan llegado**   *I'm glad they arrived early.*
> temprano.

Es posible que **haya estado** enfermo.　*It's possible that he may have*
been sick.

Ojalá que la conferencia **haya**　*I hope that the lecture has been*
sido un éxito.　*successful.*

3. The conditional perfect and the pluperfect subjunctive

In this section you will study two new verb tenses: the conditional perfect and
the pluperfect subjunctive.

■ Use the conditional of **haber** + *past participle* to form the conditional perfect.

CONDITIONAL PERFECT		
yo	habría	
tú	habrías	
Ud., él, ella	habría	hablado
nosotros/as	habríamos	comido
vosotros/as	habríais	vivido
Uds., ellos/as	habrían	

■ The conditional perfect usually corresponds to English *would have* + *past
participle.*

Sé que le **habría gustado** esta casa.　*I know she would have liked this*
house.

■ Use the past subjunctive of **haber** + *past participle* to form the pluperfect
subjunctive.

PLUPERFECT SUBJUNCTIVE		
yo	hubiera	
tú	hubieras	
Ud., él, ella	hubiera	hablado
nosotros/as	hubiéramos	comido
vosotros/as	hubierais	vivido
Uds., ellos/as	hubieran	

■ The pluperfect subjunctive corresponds to English *might have, would have,* or *had + past participle.* It is used in constructions where the subjunctive is normally required.

Dudaba que **hubiera venido** temprano.	*I doubted that he had/would have come early.*
Esperaba que **hubieran comido** en casa.	*I was hoping that they would have eaten at home.*
Ojalá que **hubieran visto** ese letrero.	*I wish they had seen that sign.*

4. *If* clauses (using the perfect tenses)

The conditional perfect and pluperfect subjunctive are used in contrary-to-fact if-statements which refer to actions, events, experiences related to the past.

Si **hubieras venido**, te **habría gustado** la conferencia.	*If you had come (which you did not), you would have liked the lecture.*

5. The passive voice

■ The passive voice in Spanish is formed with the verb **ser** + *past participle;* the passive voice is most commonly used in the preterit, though at times you may see it used in other tenses.

La planta nuclear **fue construida** en 1980.   *The nuclear plant was built in 1980.*

■ Use the preposition **por** when indicating who or what performs the action.

El bosque fue destruido.   *The forest was destroyed.*
(Who or what did it is not expressed.)

El bosque fue destruido **por** el fuego.   *The forest was destroyed by the fire.*
(The fire did it.)

■ The past participle functions as an adjective and therefore agrees in gender and number with the subject.

Los árboles fueron **destruidos** por la lluvia ácida.   *The trees were destroyed by the acid rain.*

La cura fue **descubierta** el año pasado.   *The cure was discovered last year.*

■ You'll most often find the passive voice in written Spanish, especially in newspapers and formal writing. However, in conversation, Spanish speakers normally use two different constructions that you have already studied—a third person plural verb or a **se** construction.

Vendieron el laboratorio.   *They sold the laboratory.*
Se vendió el edificio.   *The building was sold.*

Apendice
1

Word formation in Spanish

Recognizing certain patterns in Spanish word formation can be a big help in deciphering meaning. Use the following information about word formation to help you as you read.

- **Prefixes.** Spanish and English share a number of prefixes that shade the meaning of the word to which they are attached: **inter-** (between, among); **intro/a-** (within); **ex-** (former, toward the outside); **en-/em-** (the state of becoming); **in-/a-** (not, without), among others.

inter-	interdisciplinario, interacción
intro/a-	introvertido, introspección
ex-	ex-esposo, exponer *(expose)*
en-/em-	enrojecer *(to turn red)*, empobrecer *(to become poor)*
in-/a-	inmoral, incompleto, amoral, asexual

- **Suffixes.** Suffixes and, in general, word endings will help you identify various aspects of words such as part of speech, gender, meaning, degree, etc. Common Spanish suffixes are **-ría, -za, -miento, -dad/tad, -ura, -oso/a, -izo/a, -(c)ito/a,** and **-mente.**

-ría	place where something is made and/or bought: **panadería, zapatería** *(shoe store)*, **librería.**
-za	feminine, abstract noun: **pobreza** *(poverty)*, **riqueza** *(wealth, richness)*.
-miento	masculine, abstract noun: **empobrecimiento** *(impoverishment)*, **entrenamiento** *(training)*.
-dad/tad	feminine noun: **ciudad** *(city)*, **libertad** *(liberty, freedom)*
-ura	feminine noun: **verdura, locura** *(craziness)*.
-oso/a	adjective meaning having the characteristics of the noun to which it's attached: **montañoso, lluvioso** *(rainy)*.
-izo/a	adjective meaning having the characteristics of the noun to which it's attached: **rojizo** *(reddish)*, **enfermizo** *(sickly)*.
-(c)ito/a	diminutive form of noun or adjective: **Juanito, mesita** *(little table)*, **Carmencita.**
-mente	attached to the feminine form of adjective to form an adverb: **rápidamente, felizmente** *(happily)*.

- **Compounds.** Compounds are made up of two words (e. g. *mailman*), each of which has meaning in and of itself: **tocadiscos** *(record player)* from **tocar** and **disco**; **sacacorchos** *(cork screw)* from **sacar** and **corcho**. Your knowledge of the root words will help you recognize the compound; and likewise, learning compounds can help you to learn the root words. What do you think **sacar** means?

- **Spanish-English associations.** Learning to associate aspects of word formation in Spanish with aspects of word formation in English can be very helpful. Look at the associations below.

SPANISH	ENGLISH
es/ex. + consonant	*s* + consonant
esclerosis, extraño	*sclerosis, strange*
gu-	*w-*
guerra, Guillermo	*war, William*
-tad/dad	*-ty*
libertad, calidad	*liberty, quality*
-sión/-ción	*-sion/-tion*
tensión, emoción	*tension, emotion*

Stress and written accents in Spanish

In Spanish, normal word stress falls on the second-to-last syllable of words ending in a vowel, -n, or -s, and on the last syllable of words ending in other consonants.

hablo	clase	amiga	libros
escuchan	comer	universidad	venir

When a word does not follow this pattern, a written accent is used to signal where the word is stressed. Below are examples of words that do not follow the pattern.

1. Words accented on the third-to-last syllable:

física	sábado	simpático
catástrofe	gramática	matemáticas

2. Words that are accented on the last syllable despite ending in a vowel, -n or -s.

hablé	comí	están	estás
alemán	Belén	inglés	conversación

3. Words that are accented on the second-to-last syllable despite ending in a consonant other than -n or -s.

lápiz	útil	débil	mártir
Félix	cárcel	módem	fácil

Diphthongs

The combination of an unstressed **i** or **u** with another vowel forms a single syllable which is called a diphthong. When the diphthong is in the accented syllable of a word and a written accent is required, it is written over the other vowel, not over the **i** or **u**.

Dios	adiós	bien	también
seis	dieciséis	continuo	continuó

When a stressed **i** or **u** appears with another vowel, two syllables are formed, and a written accent mark is used over the **i** or **u**.

cafetería	país	Raúl	frío
continúa	río	leíste	economía

Interrogative and monosyllabic words

Some words in Spanish follow normal stress patterns but use written accents for other reasons. For example, interrogative and exclamatory words always use a written accent on the stressed vowel: **¿Dónde viven ellos?**, **¿Cuántas clases tienes?**, **¡Qué bueno!** Many one-syllable (monosyllabic) words carry a written accent to distinguish them from other words with the same spelling but different meanings.

dé	*give* (formal command)	de	*of*
él	*he*	el	*the*
más	*more*	mas	*but*
mí	*me*	mi	*my*
sé	*I know, be* (formal command)	se	*him/herself, (to)him/her/them*
sí	*yes*	si	*if*
té	*tea*	te	*(to) you*
tú	*you*	tu	*your*